正しい答えのない世界を生きるための

死の文学入門

内藤理恵子

日本実業出版社

はじめに——なぜ小説を読まなければいけないのか

65歳以上人口の増大により、これから数十年以上にわたって、日本は空前の多死社会を迎えることになります。それは、死の不安と向き合わなければならない人が増加するということです。高齢化先進国日本の大きな問題の一つであるとともに、これは私たち日本人一人ひとりの実存的な課題ともいえるでしょう。加えて近年では感染症への不安がそれに拍車をかけています。

さらに、若者やロスト・ジェネレーション（ロスジェネ）世代の死生観の問題があります。普遍的な死生の問題を、世代論に矮小化するつもりはありませんが、私自身、ロスジェネ世代ということもあり、その特異性を身をもって感じていました。というのも、私たちの世代は、学生時代から就職活動の時期にかけて、フリーターブームと自分探しブーム（またスピリチュアルブームも）が重なっており、何を信じればいいのか、何が正しいのか、迷いがちな青春期を過ごしました。もともと死生に関する軸がグラつきがちな世代であっただけに、なにかトリガーがあると他愛もないことで自死に至る場合がありえます。

また、ロスジェネ世代より若いデジタルネイティブと呼ばれる若者たちは、インターネットで断片的な情報を拾い、イメージを構築する能力に長けている世代ですが、それゆえにネットの情報から大きな影響を受けがちです。

かつての日本では、文学を含めた人文知の教養が、現在とは比べるまでもなく広く若者に共有されていました。マンガ家の水木しげる氏が、エッカーマンの『ゲーテとの対話』を手に戦地に渡ったエピソードは、そういった時代の空気を反映していると思います。

そうした教養のあり方は、戦後、急速に変わっていったわけですが、1990年代（ロスジェネの青春時代）だけを見ても、それらはポップカルチャーにアダプテーション（翻案）されて継承されたように感じます。文学書や哲学書を読む代わりに、実存主義的な雰囲気のコミックやアニメを鑑賞する。いわば実存主義とエンターテインメント（エンタメ）の折衷のようなポップカルチャーが代用品として愛好、消費され、私たちの死生観に影響を与えました。

しかし、いま一度、かつて水木しげる氏がそうしたように、私たちは戦前の若者のように古典から死生観を学び直す時期にさしかかっていると思います。次から次へと商品化されるエンタメ作品だけでは、私たちの不安の炎は消火しきれなくなっているのではないでしょうか。私自身、アニメやゲームなどが好きで、それに育てられてきましたが、だからこそ、ポップカルチャーだけでは足りないなにかが見えるように思います。

そこで、哲学や宗教の知が決して私たちとは無縁なものではないという思いを込めて上梓したのが前著『誰も教えてくれなかった「死」の哲学入門』でした。可能な限り面白く、やさしく書いたつもりですが、哲学や宗教はどうしても抽象論となりがちで、死生観を考える際のヒントは見つかるかもしれませんが、それだけではどうしてもこぼれ落ちてしまうものがあると考えます。

かつて、マスコミで「知の巨人」と呼ばれた人気ジャーナリストが、「フィクション（＝小説）はもう読まない」と宣言したことがありました。当時、私は、このジャーナリストの考え方にはある種の認識が欠落していると感じたことを思い出します。「ちょっとした心の機微で人は簡単に死ぬ」ということ、そしてそれを描くことができるのは、まさに小説によってなのにと思うからです。人間にとって本質的な物事は、「些細なもの」であったりします。それが些細であればあるほど、小説からしか学べないとも言えるのです。そこに、小説を読む意味があります。

今日、哲学にせよ、宗教にせよ、文学にせよ、人文系の知識は直接、経済的なプラスにはならないため軽視されがちです。近年の大学教育においては、人文系学問はあたかも不要な〝お勉強〟とみなされているように思われます。たとえば英文科でも、「シェイクスピアを読むよりも、ビジネス英語を身につけなさい」という議論があると聞きます。はたしてどうなのでしょうか。すべては効率的にお金を稼ぐことが社会の大義であり、「生きるとは」「死ぬとは」「魂とは」といった問いは省みられない。そんな中で、自分は生産性が高いのだろうか、能力はあるのだろうかと、競争のプレッシャーで不安になる。そうした鬱々とした気分を抱えている人は少なくないのではないでしょうか。

私は、人文系の学問や文学はおおよそすべてが、このような鬱々とした死の不安に立ち向かうための「盾（たて）」になると考えています。それらは「無用の用」であり、人間の核をなすものなのです。

そこで先ほどの〝こぼれ落ちるもの〟の話ですが、文学、特に小説には、作家の無意識が反映されており、それをいくつも重ねてみると有効な手がかりが少しずつ見えてくるように思います。それは、哲学書や聖書、仏教教典の記述から比べると拍子抜けしてしまうような、小さくて奇妙なものかもしれません。はっきり「これが答えだ」といえるようなものではないかもしれませんが、本書では、小説（文学）の中に見出される死の本質と思われる囁（ささや）きを集めては俎上に上げました。

他方で、小説の中には宗教の知識がなければ読み解けないようなメタファーもあり、そこでは、私自身の宗教研究者としての知識を活かすことができるのではないかと思います。

＊

本書の執筆は、WEB連載（日本実業出版社note）としてスタートしました。その四か月後に新型コロナウイルスのパンデミックが起こりました。さらに書籍化の作業の途中から、「ウィズ・コロナ」と呼ばれる新しい生活様式が浸透してきました。私たちの世代にとって、生死の問題が、これほどまでに切実に迫ってきたことは、これまでなかったように思います。本稿が、そのような状況下で書かれたものであることをお伝えしておきます。

とはいえ、本書はことさらに重々しく死について語ろうとするものではありません。読者の皆様には、どうかここで取り上げた小説を自由にお読みいただきたいと思います。ここで提示するのは、あくまで一つの読み方に過ぎません。小説はどのように読んでもよく、これが正解だというものはありません。今回取り上げた小説は、古いものも新しいものも、まさにこの「正しい答えのない世界」を描いています。しかも、これらの小説はすこぶる面白く、どこかに生きる勇気を与えてくれる一条があると信じています。

最後に、日本実業出版社編集部の松本幹太氏に御礼を申し上げます。

２０２０年10月20日

内藤理恵子

はじめに――なぜ小説を読まなければいけないのか　1

序章　K的な不安とSNS――夏目漱石『こころ』　13

Kはなぜ死を選んだのか　14／Kのプロファイリング　16
Kの悩みと現代のポスドク問題の共通点　20
生きていたくもないが、死ぬきっかけもなかったK　21
「K的な不安」と現代の「こころ」　23
【コラム】意外とサイケな漱石　『夢十夜』他　25
〈メフィストの呟き〉のキャラクター　文学世界を暗躍するメフィストフェレスについて　34

第1章　芥川龍之介は厭世観を解消するために筋トレをすべきだった？　39

カフェーパウリスタの芥川龍之介　40／人間存在の地獄　42

聖書と厭世主義の誤読 44／厭世観につける薬は筋トレ・睡眠・芸術 47
【コラム】筋トレするデカダン　三島由紀夫の不思議 50

第2章 夢オチ死生観とマドレーヌの味 ——池田晶子、荘子、プルースト

55
取扱注意！ 夢オチ死生観とは？ 56／胡蝶の夢と映画《インセプション》 59
物理法則さえも確かなものではない？ 62
物理法則さえ疑ったその先には 64
それでも身体に戻る私 67／現実を肯定する力 72
【コラム】夢見る人が、夢見る人の夢から作られる話　ボルヘス「円環の廃墟」 74

第3章 「死の文学」としての村上春樹の短篇小説

79
ヴェイパーウェイブと村上春樹 80／死の文学の傑作「眠り」 81
怨霊か？ ユングか？ サルトルか？ 83

書くことはない。ただ存在した、という恐怖 85
村上春樹は一貫して死を描いている 87／漱石の死生観を上書きする村上文学 89
美学なんていらない、グズグズ生きろ！ 92
『猫を棄てる 父親について語るとき』について 93
【コラム】ユングを越えて 村上春樹「謝肉祭」 95

第4章 ドッペルゲンガー（分身）をめぐる死の文学——芥川、ドストエフスキー、ワイルド、ポー

103
私のドッペルゲンガーが現れた 104
神経衰弱による幻覚——芥川龍之介のドッペルゲンガー 105
ユング理論でドッペルゲンガーを読み解く 107／ドストエフスキーの『分身』 111
《嗤う分身》に見られるヴェイパーウェイブ風味 113／ワイルドとポーの分身物語 115
壮大なドッペルゲンガー物語《ツイン・ピークス The Return》 118
こんにゃくから考えるドッペルゲンガー 119
ブルーノの「無限宇宙」にはもう一人の私がいる 121
【コラム】 病にペルソナはあるか ポー「赤死病の仮面」 124

第5章 被害者が死後に加害者となる奇妙な物語——ゴーゴリ『外套』 131
知られざる文豪ゴーゴリ 132／アカーキーとは何者か？ 134
アカーキーのシャドウ 136／ゴーゴリの幽霊と『牡丹灯籠』の幽霊は似ている？ 137
『外套』はバッドエンドか？　ユングの見立て 140
アカーキーのゴール 143／ゴーゴリ自身の死 144
【コラム】「幽霊を見る」とはどういうことか？　ヘンリー・ジェームズ『ねじの回転』 147

第6章 有事を生きる人間の姿——ヴィアン『うたかたの日々』、カミュ『ペスト』 153
『うたかたの日々』は過ぎ去るのみ…… 154
サルトルへの強烈な皮肉と批判 157／クロエの病とコランの労働 161
神は寝ぼけ、思想は無力 163／神の不在と信仰の葛藤 164

カミュの不条理に対する態度とコロナ禍の日本 167
【コラム】よそ者とは誰か？　カミュ『異邦人』 170

第7章 生と死を管理するシステム
——ブッツァーティ「七階」、カフカ『変身』 175

心が先か？　症状が先か？ 176／管理システムは監獄のアナロジー 182
権力なき自粛警察 187／人間とは何かをフーコーと『紅楼夢』で考える 188
セールスマンの変身 191／虫の死 192／心身二元論を否定する物語 197
芸術的感性は人間らしさの証明ではない 198
【コラム】「信じる」とはどのようなことか　ブッツァーティ「神を見た犬」 201

第8章 半年後に世界が終わるのに、刑事はなぜ執念の捜査を続けるのか？
——ウィンタース『地上最後の刑事』 211

個人の死と人類の死 212／人類の滅亡とは、「この私」の死でもある 215
どうせ死ぬのになぜ生きる？ 216／人類滅亡を前にした三つのタイプ 217
映画やマンガで描かれる世界の終わり 220／人類のお墓を残そうとする夫婦 223
「笑い」と「音楽」に関するベルクソンの考察 227
【コラム】最後の一人になった女性　マークソン『ウィトゲンシュタインの愛人』 233

終　章　文学はヨブから来てヨブに還る、あるいは人間の死と病
——「ヨブ記」、クラーク『幼年期の終り』 239

西洋人よりも日本人のほうが「ヨブ記」がわかる?! 240／満身創痍のヨブに、神は…… 242
気になるサタンの性質 245／ヨブが与えたキルケゴールへの影響 248
文学史の中のサタン 251／『幼年期の終り』は未来の「ヨブ記」 253
音楽こそが人間の存在証明 260／ボイジャーで旅をする人間の音楽 262
【コラム】サタンの甥メフィストフェレス　ゲーテ『ファウスト』 264

参考文献 277　索引 285　初出一覧 286

デザイン
萩原 睦（志岐デザイン事務所）

本文イラスト
内藤理恵子

カバーイラスト
ナイトフィッシュデザイン

DTP
一企画

序章

K的な不安とSNS
——夏目漱石『こころ』

Kはなぜ死を選んだのか

近年、SNS上での誹謗中傷を原因とする（ように見える）自死問題が取り沙汰されています。旧世代からすると、なぜ会ったこともない人の言葉によって自ら死を選ぶのか、首を傾げるようなケースもあるかもしれません。しかし、ちょっとした言葉で人間は驚くほど大きな決断をし、あっさりと死を選んでしまうことがあります。それはいつの時代も変わりのないことなのではないかと思います。

そんなことがあって、本書『「死」の文学入門』のタイトルのもとに最初に浮かんだのが、夏目漱石の『こころ』に登場する「K」という人物でした。多くの読者には不要かもしれませんが、まずは『こころ』のあらすじを述べていきましょう。

舞台は明治時代。主人公の「私」は鎌倉に海水浴に来ている大学生です。主人公がのちに「先生」と呼ぶ男性と、その鎌倉の海で知り合います。「先生」は謎めいた人物で、美しい妻（「奥さん」と「私」は呼ぶ）と暮らしています。いつしか主人公は「先生」に対して、年齢を超えた尊敬と友情がない交ぜになった感情を抱きます。やがて「先生」からの長い手紙が主人公に届きます。

手紙の内容は、「先生」とその友人「K」のエピソードでした。かつての若き「先生」

と「K」は友人関係にあり、同じ下宿のお嬢さんをめぐって恋のさや当てのような関係にあったこと、さらに「先生」の抜け駆けで「先生」とお嬢さんとの結婚が成立したこと、その結婚をきっかけに「K」が自死を選んだ（らしい）ことが、その手紙には綿々と綴られていました。しかも、主人公が手紙を受け取った時には、差出人の「先生」はもうこの世にはいない――「先生」がそのように計画的に主人公に送った遺書なのでした。

このように『こころ』では、Kだけでなく「先生」も自死します。「先生」はもともと親族の裏切りによって傷ついていたうえに、「K」の一件が重なり、陰鬱な思いを抱え続けていました。

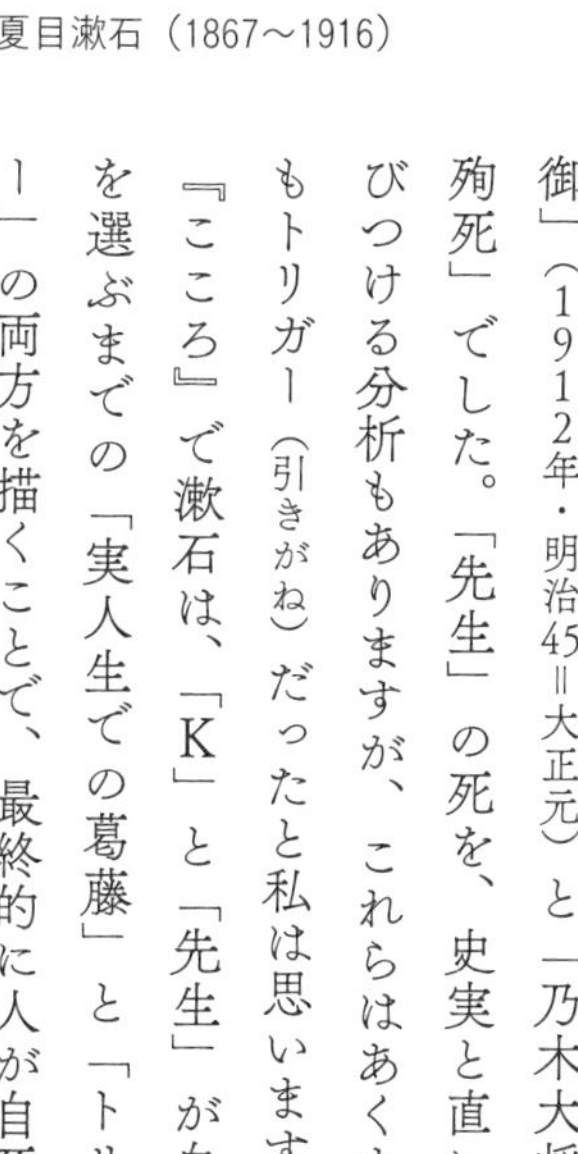
夏目漱石（1867〜1916）

「先生」の自死のきっかけは、「明治天皇の崩御」（1912年・明治45＝大正元）と「乃木大将の殉死」でした。「先生」の死を、史実と直に結びつける分析もありますが、これらはあくまでもトリガー（引きがね）だったと私は思います。

『こころ』で漱石は、「K」と「先生」が自死を選ぶまでの「実人生での葛藤」と「トリガー」の両方を描くことで、最終的に人が自死を選ぶまでのパターン（典型）を描き出そうとしています。それは、個別事例と個別事例を重ね合わせたうえで、初めて輪郭がかろうじて見えてくるたぐいのパターンであって、これはフィクションでしか描けないものかもしれません。

学問としての哲学や心理学は、概念を大雑把に整理するための便宜的な手法という側面がありますが、生きている感情、すなわち「こころ」をありありと描くには文学という手法以外にないのです。

Kのプロファイリング

今回『こころ』を再読してみて、「K」が相当に興味深い人物であることを再認識しました。「K」は真宗寺院の次男という設定ですが、彼の関心は幅広く、中学のころから哲学と宗教に興味を持ち、聖書も熱心に読んでいるようです。また、聖書ばかりか、神秘主義思想家のスウェーデンボルグについて語り、知らなかった「先生」を驚かせたこともありました（ルビは内藤が適宜振っている場合がある。以下、特にことわらない限り同じ）。

彼は二人の女に関してよりも、専攻の学科の方に多くの注意を払っているように見えました。尤（もっと）もそれは二学年目の試験が目の前に逼（せま）っている頃でしたから、普通の人間の立場から見て、彼の方が学生らしい学生だったのでしょう。その上彼はシュエデンボルグがどうだとかこうだとか云って、無学な私を驚かせました。

夏目漱石『こころ』

引用文中の「彼」は「K」、「私」とは、もちろん「先生」のことです。ここでは、「シュエデンボルグ（スウェーデンボルグ）」の存在が、「K」のプロファイリング上で重要だと思います。

スウェーデンボルグは、もともと業績のある技師であり、科学者でもありましたが、1743年、突如、霊界と交信するようになります。彼の著作は、漱石と同時代の仏教哲学者の鈴木大拙（1870～1966）にも影響を与えました。

スウェーデンボルグ（1688～1772）

当時、宗教哲学をリードする立場にあった大拙が、スウェーデンボルグの思想と出合った時期は明治41年（1908）とされています（「鈴木大拙とスウェーデンボルグ」日本スウェーデンボルグ協会公式サイト）。『こころ』の「K」はそれと同時期か、それ以前にスウェーデンボルグの思想を知っていたことになります。つまり、「K」は人文学の分野で、当時としてはずいぶん先進的な思想を知っていたのです。

しかし「K」の人文学研究者としての将来の展望は、非常に危ういものでした。実家（真宗寺院）から養子に出され、養子先では医師になることを期待されていたものの、医学ではなく人文系の学問を専攻していましたが、それがバレると、今度は仕送りを止められて経済的に困窮するという事情もあったのです。

一方で、「K」は女性に好かれる容貌と性格であったという「先生」の証言も気になります。これらをもとに「K」の人物像を考えてみましょう。

「K」は現代風に言えば、海外の文化にも精通している影のあるイケメンで、かつ純粋なところがあり、そうかと思えば、これと決めたら実行に移す意志の強さもあるように見受けられます。

彼の大学での専攻が何であったのか、「先生」は「自分とは専門が違う」というだけで明らかにしていませんが、おそらくは哲学か、その他の人文系学問だったように思います。彼の興味の対象からすると、専門は宗教哲学ではないだろうかと推察されます。「イケメン」かついまでいう「ギャップ萌え」を併せ持つ文系男子、それが「K」です。「K」は学問の道を行くか、もしくは「お嬢さん」との恋愛を取るか、非常に悩んだ末に、「先生」に相談します。

「先生」はそれにどう答えたか？　そこにこの小説の葛藤、対立、すれ違い、懐柔、裏切りといった弁証法的なドラマ構造があります。

ただし、「K」の最終目的は学問を修めることではなかったようです。学問探究の艱難辛苦を通じて「道」を探究することが、彼の最終目的であったと「先生」の証言からわかります。

> Kは昔から精進という言葉が好きでした。私はその言葉の中に、禁欲という意味も籠っているのだろうと解釈していました。然し後で実際を聞いて見ると、それよりもまだ厳重な意味が含まれているので、私は驚きました。道のためには凡てを犠牲にすべきものだと云うのが彼の第一信条なのですから、摂欲や禁欲は無論、たとい慾を離れた恋そのものでも道の妨害になるのです。
>
> 夏目漱石『こころ』

そのためにも、なるべく窮屈な環境を「K」は自ら望んでいた節があります。それを加味して総合的に考えると、「K」は宗教哲学を探究しながら、実存主義を実践しようとする人物だったのではないかと推定されます。以上が、「K」のプロファイリングです。

Kの悩みと現代のポスドク問題の共通点

「K」の場合、養子先からも実家の寺からも経済的援助が望めないため、「お嬢さん」との結婚を選べば、学問の道は諦めざるをえません。これは現代の大学の若手研究者も同じような問題を抱えています。結婚を選んで就職するか、すべてを捨てる覚悟で「ポスドク」の道を進むか、選択を迫られるのです。なかには家庭生活と学究生活を両立できるラッキーな研究者もいますが、そうそうかなえられるような生き方ではありません。

ところで、この「ポスドク」とはなにか。博士号(ドクター)を取得しても、多くの研究者は教授や准教授といった正規雇用が望めないため、非正規雇用で生活をする研究者(ポスト・ドクター)のことを指します。

彼らは研究機関で無給の研究員をしたり、任期付きの有給研究員をしたり、任期付きの教職といった不安定な職に就くことが多いのです。有給の場合も、家族を養えるほど給与があるわけではありません。任期が終わると次の任期付きの職を見つけなければならず、綱渡りを続けているような状態になります。実際、研究者への道を諦めて、恋人のために一般企業に就職した大学院生を知っていますし、最近、経済的な困難と孤独の末に自死した大学非常勤講師のニュースも耳にしました。

私には「K」という人物像が、私自身を含め、周りに実在する人々のモンタージュ写真に見えて仕方ない時があるのです。

「K」は、このようなポスドク研究者のような「学究」と「プライベートな幸福」の二択を迫られていました。

生きていたくもないが、死ぬきっかけもなかったK

「K」と「先生」が同居するようになった理由は、「K」がポスドク研究者のような生活をしていたためです。そのような苦況にある「K」を見るに見かねた「先生」は、自らの下宿先に招き入れ、その結果、「K」と自分の想い人である「お嬢さん」が「いい感じ」になってしまったのは先に書いた通りです。その状況を、再度、詳しく見てみましょう。

「K」は実家からも養子先からも勘当され、「夜学校の教師」をしていました。昼間は学生として大学に通い、夜は教師として働いていたのでしょう。

その苦しい生活によって、心身ともに衰弱しているように見えた「K」に、「先生」は同居を提案したのです。その結果、「K」と下宿先の「お嬢さん」とはお互いに気持ちが通じ合うようになったと「先生」には見えたのです。「お嬢さん」に恋愛感情を持っていた「先生」は、焦って抜け駆け行動に出ることになります。友人の裏切りに加え、恋愛をも失ったと考えた「K」は、驚くほどあっさりと自死を選んだように見えます。

しかし、それらは「トリガー」であって、もともと「K」には死ぬ覚悟があったのかもしれません。作中に、旅先で「先生」が「K」を突き落とそうとふざけると、「丁度好い、遣ってくれ」と「K」が答えるシーンがあります。若さゆえのポーズである可能性は否定できませんが、生きていたくもないが、死ぬきっかけ（トリガー）もない、そんな心持ちで「K」は生きていたのかもしれません。

「K」に近い心持ちで人生を送った哲学者を挙げるとすれば、婚約者よりも信仰の道を選んだものの、その後に精神的な煩悶を繰り返したキルケゴールでしょう（拙著『「死」の哲学入門』）。彼らの違いは、キルケゴールが強固なキリスト教の信仰に支えられて最期を迎えたのに、「K」が選んだ道は道なき道の絶望だったという点です。

キルケゴールの「絶望」とは、キリスト者としての道をまっとうできないことでしたが、「K」の絶望は、シンプルな「人間という存在」への絶望だったように思います。それはのちの「先生」の人生をも支配する「シンプルだけれども強固な絶望」であって、それゆえに、「先生」は一生、誰とも心を通わせることができませんでした。

「先生」は「K」の死後、結婚した「奥さん（お嬢さん）」とも心を通わせることができなかったのです。

「K的な不安」と現代の「こころ」

本章ではここまで、近代文学における唯一無二の存在、夏目漱石の代表作を借りて「自死」について見てきました。「K」の苦悩は、漱石作品に通底する「近代化の苦悩」というテーマの一つの側面かもしれません。

畏るべし漱石、彼の慧眼は21世紀の今日も古くなっていません。

というのも、「K」が失恋とも言えないような失恋に傷つき、友人（「先生」）の裏切り行為で自死した一連の流れは、SNSが一般化したいまこそ、注目されるべきだと思うからです。ほんの数ミリの悪意で人は死んでしまうという弱さ。それは文学でしか描けない心の機微ではないでしょうか。本作のタイトル「こころ」とは、そういう〝壊れ物〟としての人間の「心」だったのです。

その一方で、メディアの革新は人間の心を大きく変えてしまう場合があります。メディアは、スプーンやフォーク、ハサミのような単なる道具ではなく、使いよう一つでどうにでもなるようなモノではありません。それは、個々の死生観や社会通念、人間関係を根底から覆しかねない不穏な「ある力」ともなるものであり、そのスピード感と相互依存性、拡散力は、人間の意識を根底から変えてしまうのです。

小説『こころ』の舞台となった明治期よりも、現代には、はるかに多くの「隠されたトリガー」があふれているように思います。その大きな一つがSNSなのかもしれません。フェイスブックであいつに「いいね！」がついたのに自分にはつかなかった。ツイッターの少しのすれ違いで「嫌われたのではないか」と思い込む。LINEで既読がついたのに返信がこない。着信が拒否された。デマを流された。SNS友達を横取りされた気になる……。

それらは「些細な出来事」のようでいて、「最後の一押し（トリガー）」になりかねません。こうした状況に対する定義や言葉を、私たちの社会はまだ見つけていないようです。もし、この状況とそこから生まれる不穏な力を命名するとすれば、「K的な不安」とでもいいましょうか。こうした「不安」は学問的な概念規定が難しく、まさに小説でしか描けないものなのかもしれません。

COLUMN

コラム

意外とサイケな漱石　『夢十夜』他

漱石のイメージソース

優等生的なイメージのある漱石ですが、実はサイケデリックでパンクな一面を持っていました。たとえば『それから』（1909年）のラストでは、世界中が赤く見えるという描写で主人公の精神崩壊を描いています。抑制の効いた作品の中にもブッ飛んだ側面がチラリと顔を覗かせるのです。

広く知られる漱石の作品は、『こころ』（1914年）や『それから』をはじめとする実存主義的な長篇小説ですが、シュールな幻想連作小説『夢十夜』（1908年）や、大病を患った際に執筆した随筆「思い出す事など」（1910年）といった、裏の顔とも呼べる著作があり、それらはメジャーな長篇作品の理解の助けになります。

随筆「思い出す事など」には、漱石の小説のイメージソースとなったと思われる哲学者や作家、彼らの著作が数多く挙げられています。ここでは、この随筆に登場するキーワードを見ていきましょう（以下、キーワードには傍線を引いています）。

・ドストエフスキー

・ニーチェの『ツァラトゥストラ』

・ベルクソンの『時と自由意思』

・物理学者で心霊学者のオリヴァー・ロッジの『死後の生』

漱石は、ドストエフスキーの神秘体験に、特に思い入れがあったようです。ドストエフスキーは、持病の発作を起こした際に、なぜか「音楽」のような快感に支配されたといわれています。漱石は「思い出す事など」の中で「病を得たことによって憧れのドストエフスキーと同じような境地に至ったのかもしれない」と妙な期待すらしている節があるのです。病気と音楽・文学、ここには何か重要なつながりがありそうです。

この神聖なる疾（やまい）に冒かされる時、あるいはその少し前に、ドストイェフスキーは普通の人が大音楽を聞いて始めて到り得るような一種微妙の快感に支配されたそうである。それは自己と外界との円満に調和した境地で、丁度天体の端から、無限の空間に足を滑らして落ちるような心持だとか聞いた。

「神聖なる疾」に罹った事のない余は、不幸にしてこの年になるまで、そういう趣に一瞬間も捕われた記憶を有たない。ただ大吐血後五、六日——経つか経たないうちに、時々一種の精神状態に陥った。それからは毎日のように同じ状態を繰り返した。遂には来ぬ先にそれを予期するようになった。そうして自分とは縁の遠いドストイェフスキーの享けたという不可解の歓喜をひそかに想像して見た。

夏目漱石『思い出す事など 他七篇』

漱石は、この随筆で、この世の者ではない女性の「夢魔」と遭遇した体験を綴っています。

時には手も足も頭も動かさないのに、眠りが尽きてふと眼を開けさえすれば、白い着物はすぐ顔の傍へ来た。余には白い着物を着ている女の心持が少しも分らなかった。けれども白い着物を着ている女は余の心を善く悟った。そうして影の形に随う如くに変化した。

同

先に挙げたキーワード（「ドストエフスキー」「ニーチェ」「ベルクソン」「『死後の生』」）に加えて、この「女性の夢魔」に漱石自身が憑かれていたという事実や「修善寺の大患（大吐血）」での30分もの臨死体験に着目すれば、小説『夢十夜』について、思いもよらぬ角度から見えてくるものがあります。

以下では、『夢十夜』について、第一夜、第十夜を中心に見ていきましょう。

『夢十夜』は円環の冒険譚

第一夜

主人公（語り手）の夢の中。目の前で謎めいた美女が死に、墓の前で百年もの間、彼女を待つという物語です。この「百年」とは、長い時間を意味すると考えるのが無難ですが、文字通りに百年が経過するのであれば、眠っている間に「女性の魔物」（夢魔、悪霊）に魅入られ、死に至った男の「死後の生」の始まりと読めます。

『夢十夜』の第一夜は、ジョン・ミルトンの詩篇『失楽園』へのオマージュだと思います。というのも、蛇女（「罪」と呼ばれる。造形から見れば夢魔リリス）、サタン、死の三者がさりげなく登場しているからです。『失楽園』では死もキャラクター化されているため、その象徴性を理解していないとわかりにくいかもしれません。蛇女が典型的ですが、第一夜に登場する女性の魔物の描写をよく見てみましょう。

死にますとも、と云いながら、女はぱっちりと眼を開けた。大きな潤いのある眼で、長

い睫（まつげ）に包まれた中は、ただ一面に真黒であった。

夏目漱石『夢十夜』

この描写から、彼女が『失楽園』の蛇女（夢魔リリス）であることが示唆されます。なぜなら眼が一面に真っ黒で白眼がない、というのは人間の目ではないからです。これが蛇の目だとしたら合点がいきます。

また「第一夜」の終盤、女が死に、墓を作って弔った主人公が墓の前で百年待ち、その後に遠い空に暁の星を見つけるというシーンの「暁の星」（暁の星がたった一つ瞬（また）いていた）は、サタンのことを指します。なぜなら、旧約聖書「イザヤ書」にも『失楽園』においても、暁の星はサタンと同一視されているからです。

このように、第一夜における死と再生のドラマは、主人公である男の罪が

第一夜、蛇の目

ジョン・ミルトン（1608〜1674）

転じて夢魔の形として眼前に現れ、サタンの元へ帰っていく壮大な物語ということになろうかと思います。

第十夜

庄太郎という名の青年が登場し、謎の美女に連れられて奇妙な世界に迷い込み、迫りくる豚の群れと延々と闘うはめになるという不思議な話。庄太郎は豚との闘いで消耗し、熱にうなされて死にかけ、命は助からないだろう、というところで物語は唐突に終わります。

しかし、ここで完結したと解釈するよりも、ラストが第一夜につながりループしていると考えたほうが、俄然面白くなります。

ここで登場する美女が、第一夜の女性と同一の存在（夢魔）で、なおかつ、十夜で死にかけている庄太郎の見ている夢が第一夜の夢のエピソードにつながるとすれば、第一夜の主人公は夢を見ている庄太郎ということになるでしょう。すると、夢の世界を結び目にして、ニーチェの『ツァラトゥストラ』のような、永遠回帰の世界が浮かび上がります。

庄太郎が豚と闘うくだりは、明らかにドストエフスキーの『悪霊』の冒頭に掲げられた聖書からの引用（悪霊が人から出て豚に入り、崖を下って落ちる。「ルカによる福音書」第八章より）でしょう。これらを総合的に考えると、『夢十夜』とは、脈絡なくさまざまな夢を並べただけのオムニバスの短篇集などではなく、夢魔に魅入られた庄太郎が時空を超えた円環の旅に出る長篇の冒険譚（33ページ・上図）ということになります。

その道行きはダンテの長篇叙事詩『神曲』のようにも読むことができます。古代ギリシャとキリスト教の世界を融合させた、あの世の旅路が『神曲』であるとするならば、『夢十夜』は日本の民俗的な信仰や仏教と古代ギリシャの世界、さらにはキリスト教の世界を融合させた日本版『神曲』といえるのではないでしょうか。

それは第二夜〜第九夜を読めばわかると思います（傍線で示したのは「あの世」の位相）。

第二夜：（主人公が）悟りたくても悟れない武士となって無間地獄に落ちている話。

第三夜：過去の業（殺人）を怨霊によって自覚させられるエピソード。日本の民俗。

第四夜：河を境界線にして、第五夜へとつないでいく。河を異界との境界とすることは国や文化を超えて普遍性を持っている。

第五夜：古事記の邪神「天探女（あまのさぐめ）」が登場する。神道の世界。

第六夜：運慶をモチーフにして古代ギリシャのイデア界を描いている。

第七夜：天国へ行く客船に乗っている。キリスト教の救済を描いた世界。船中で異国の人から、神への信仰の有無を問われるが、主人公は答えない。その後、海へと身を投じて、あの世を巡る旅路へと逆戻り。

第八夜：死者と生者が交差する異世界（鏡の国）の理髪店。この異世界の鏡に、第十夜の庄太郎が映り込む。

第九夜：現実と異界の接点としての夜の御百度参りが題材。重要なのは、無事を祈った願掛けの対象がすでに亡くなっていた、という種明かし。つまり、生きていると思っていた者はすでに死者であるという、『夢十夜』の主人公に関するメタメッセージが含まれている。

第八夜の時間の描写は、ベルクソンの「持続」という時間概念が導入されていて、漱石が「思い出す事など」に挙げていたベルクソンからの影響が顕著です。

また、先にも述べたように、宗教をまたいだ煉獄・地獄巡りとなっているところがユニークです。キリスト教の天国に入りそびれるエピソード（第七夜）は、キリスト教思想に出合い、揺れ動く知識人の心象風景でもあると思います。

上図『夢十夜』の図解。一夜と六夜、二夜と十夜、三夜と九夜、四夜と八夜、五夜と七夜が対応関係にあり、左右対象の合わせ鏡になっていることがわかります。なお、死者の国の旅路に、六夜のイデア界が挟まれていることにも理由（下図）があるでしょう。

下図 プラトン『パイロドス』には、私たちが現世で美しさを感じる時、それは生前に見たイデア（ものの本質）を思い出しているからである、という古代ギリシャの思想がそこにあるのです。

〈メフィストの呟き〉のキャラクター

文学世界を暗躍するメフィストフェレスについて

ここで突然ですが、本書のイメージキャラクターともいうべきメフィストフェレス（メフィスト）をご紹介します。

メフィストという悪魔は、16世紀にドイツでさまざまな伝説を残したファウストの逸話に登場します。最も有名なゲーテの『ファウスト』に登場しているメフィストは、サタン（悪魔）の甥を名乗っています。

メフィストはファウストに人生のやり直しができることを約束し、その代わりにファウストの魂を我がものにしようと企みます。ここでのメフィストは、時には黒い犬に変身したり、驚くほど残忍さを見せたりする、とても一筋縄ではいかないキャラクターです。

私は今回、原稿を書いているうちに、このメフィストが、ありとあらゆる作品の表裏に見え隠れしていることに気づきました。文学の世界を縦横無尽に駆け回るメフィストのイメージが私（著者）の中に棲みついて、囁きかけてくるのです。

「次はこの作品を読むんだ」
「ここに登場するのは実は私（メフィスト）だ」
「この登場人物の心の中に、こっそり忍び込んだのも私に他ならない」

もしかすると、死に関わる文学に限らず、世の「文学」と呼ばれるすべてのものを裏で支配しているのは、メフィストなのではないか？　そんなことすら考えるようになりました。

メフィストは、ドストエフスキーの『カラマーゾフの兄弟』から映画『Dr.パルナサスの鏡』、手塚治虫のマンガ、サンリオキャラクターのクロミちゃんまで、さまざまな文学やサブカルチャー作品に引用されることが多く、読者の皆さんもどこかでメフィストか、もしくはメフィストの系譜をひくキャラクターに出合っているはずです。

メフィストのルーツは、旧約聖書や新約聖書のサタンをはじめ、ギリシャ世界にまで遡ることができます。

ゲーテの『ファウスト』において、メフィストは古代ギリシャの世界でさまざまな魔物たちに遭遇してこう言うのです。

ここには見知らぬ人間ばかりと思っていたのに、あいにく近い親戚筋がいたんだな。古い書物でも調べてみなくっちゃ。

ゲーテ『ファウスト　第二部』相良守峯訳

古い妖怪たち、魔物たち、それらはメフィストのルーツの一つなのです。死の文学を巡る旅路とは、この複雑な出自を持つ悪魔メフィストの辿った道筋を辿ることなのかもしれません。この道はどこに通じているのでしょう？

さて、ここでそのメフィストに登場してもらいましょう。彼は本書のあちこちで、幕間狂言を演じてくれそうです。

メフィストの呟き

『夢十夜』に登場するサタンとは、私、メフィストの叔父だ。旧約聖書では蛇に化けてアダムとイブをそそのかした。ミルトンはそのサタンをもとに二次創作をした。二次創作、というとなんだかチャラいが、現在だって、公式のアニメよりもコミケで売っている「薄い本」のほうが、かえってそのアニメの本質を突いていることがあるだろう？　ミルトンが二次創作を始めた時は嬉しかった。サタンが美しく書かれていた

からな。

ミルトンの想像力はすごいものだ。アダムの最初の妻という伝承があるリリス（バビロニアの民間伝承にも起源を持つ悪霊）をサタンとカップリングしたのだから。もしあの時代にコミケがあったら、まちがいなくミルトンは「壁サー（人気サークル）」になっていたに違いない。

漱石の『夢十夜』は、ミルトンの『失楽園』やダンテの『神曲』の二次創作と言えるだろう。聖書から見ると三次創作となる。しかし、漱石の凄さはそこにあるのではない。

漱石は、漢文の美しさを西洋文学とうまいぐあいにミックスして新しいものを創造したのだ。日本文学史の中では、漱石がメフィストといちばん相性がいいと思う。

ところで、『夢十夜』は、第十夜で豚が出てくるのがポイントだ。あそこに出てくる豚は、聖書では悪霊にたとえられている。

第十夜の豚と第一夜のリリス（夢魔）が、「悪霊」の存在を結び目にしてぐるぐる永遠回帰することに注目してみたらいい。これはニーチェからの影響かもしれない。

ニーチェは変わった哲学者だったが、西洋はもちろん、日本文学界への影響は計り知れない。江戸川乱歩だって「自分のイメージソースはニーチェにあった」と証言しているくらいだから。

乱歩の代表作の一つ『パノラマ島綺譚』には、殺された妻がデジャブにおそわれるシーンがある。あのシーンは永遠回帰を示唆していると思う。当時の日本の知識人にとって、仏教でもキリスト教でもない、独自の死生観を提示したニーチェは、相当なインパクトがあったと思う。仏教の輪廻と永遠回帰はまったく違う概念なのだから。

私、メフィストは、永遠回帰よりも虚無のほうがマシだと考える。人間たちの人生が、ぐるぐる回っているのを見るのは面白いけれども。

江戸川乱歩（1894～1965）

第1章

芥川龍之介は厭世観を解消するために筋トレをすべきだった？

次に登場するのは、夏目漱石の弟子、芥川龍之介。彼は人の心の中の悪魔と芸術の関係を熟知していた。善悪の彼岸にいなければ、完璧な芸術なんて作れない。そのためには悪魔的なパワーすら必要とする。芸術家が悪魔に魂を売って作ったものだけが、人間に感動を与えることができる。

カフェーパウリスタの芥川龍之介

拙著『「死」の哲学入門』で書いたように、私は2019年5月から6月にかけて東京都中央区銀座の「中銀カプセルタワービル」に滞在しました。それは、芥川龍之介との不思議な縁の始まりでもありました。

中銀カプセルタワーから徒歩数分の場所に、「カフェーパウリスタ」という日本で最初の喫茶店があって、そこに出入りしているうちに、店の片隅に長谷川泰三氏が書いた小さなリーフレットが置いてあるのを見つけたのです。

現在カフェーパウリスタの店内には、一階に七枚、二階に三枚、合計十枚の鏡が有るが、この鏡が芥川龍之介自死の引き金（トリガー）になっていることを知る人は居ない。

芥川龍之介は昭和二年七月二十四日未明、田端の自宅の寝室で多量のベロナールとジアールを飲んで自殺。枕許（まくらもと）に聖書が有った。

遺稿として知られる「或阿呆の一生」は六月二十日の日付けがあり、死の一月前に書かれた。印象的に自己の生涯や心象を五十一の短章にまとめてある。その三十九章「鏡」の中にカフェーパウリスタは登場する。

「彼はあるカッフェの隅で彼の友だちと話していた。彼の友だちは焼林檎を食いこの頃の寒さの話などした。

芥川龍之介（1892〜1927）

カッフェの壁に嵌（は）められた鏡は無数の彼自身を映していた。冷え冷えと何かを脅すように……」。

全集の編集長が「あるカッフェはカフェーパウリスタ、彼の友だちは親友の谷崎潤一郎のこと」、と注釈している。この描写から芥川は自死の一ヶ月前にカフェーパウリスタに来て谷崎潤一郎と会い、パウリスタの鏡の中の映像に恐怖を感じ、既に精神が錯乱していたことがわかる。

長谷川泰三『芥川龍之介とカフェーパウリスタ』

長谷川氏が引用している「或阿呆の一生」の当該箇所を確認すると、「カッフエの壁に嵌めこんだ鏡は無数の彼自身を映してゐた。冷えびえと、何か脅すやうに」（『或阿呆の一生・侏儒の言葉』）となっています。芥川の自殺は、「カフェーパウリスタの壁の鏡」にリアルな自分を映し、そこにすでに精神錯乱状態にある己を見出したことが原因となったのではないでしょうか。

わずか1か月間だったとはいえ、毎日のようにカフェーパウリスタに通った私は、ある時、店に流れる独特の空気に気づきました。その場所ならではの「磁場」とでも言うのでしょうか、曇っていた視界が急に晴れて目の前があまりにクリアになったような妙な感覚におそわれたのです。そんなクリアな眼でカフェーパウリスタの壁の「大きな鏡」を眺めてみると、奇妙なまでに澄んだ境地で自分を見つめることができるように思いました。

人間存在の地獄

芥川龍之介は明治25年（1892）に生まれ、その直後に母親が精神を病みます。そして、龍之介が11歳の時に亡くなります。

小説を書くようになった芥川は、夏目漱石にその才能を見出されましたが、体調の悪化、女性関係のもつれなどで心身ともに消耗し、35歳で睡眠薬自殺しました。

彼の死については諸説ありますが、ある評論家は彼の死を「何かのために死んだのでもない」「具体的な理由があったわけではない」とバッサリ斬っています。本当にそうでしょうか。

複数ある遺書の中では「ぼんやりとした不安」のくだりが非常に有名ですが、別の遺書では「勿論死にたくない。しかし生きているのも苦痛」「僕は現在は僕自身には勿論、あらゆるものに嫌悪を感じている」と述べています。そもそも、彼自身の証言にブレがあるのですから、外から推察することはままなりません。

芥川が生きていた時代は、第一次世界大戦や関東大震災など未曾有の有事に見舞われたのですが、震災の跡地を歩いていた時の彼の快活さ（川端康成の証言）を見るに、必ずしも彼は有事や世相そのものに精神を左右されていたのではなかったようです。

外部の状況ではなく、自分を含めた人間という存在そのものの中にある「地獄」、人間不信に耐えられなくなったと考えたほうが解せます（菊池寛「芥川の事ども」など）。そんな彼の心の地獄を、ありありと映し出したのがカフェーパウリスタの鏡だったのではないでしょうか。これには諸説あるかと思いますが、私はそう思います。

では、彼はパウリスタの鏡の向こうに何を見たのでしょう。芥川自身は、くだんの鏡について多くは語っていませんが、私が実際にその鏡を見て思い起こしたのは、「浄玻璃（じょうはり）の鏡」

でした。

千葉県の虫生(むしょう)地区で「鬼来迎(きらいごう)」という古くから伝わる仏教劇に「浄玻璃の鏡」が出てきます。これは、地獄の閻魔王庁にあって、死者の生前の行ないを映し出すという鏡のこと。それがもし現世に存在するとしたら「パウリスタの鏡」のようなものに違いない、そんなある種の厳かな感じが、この鏡にはありました。

芥川は作家として脂が乗っていた中期に、地獄を題材にした「地獄変」(連載は1918年)という短篇を書いています。ある絵師が、地獄の絵を描こうとして正常から逸脱し、ついには自分の娘が死んでいく様子まで克明に描き、それが奇蹟的な傑作となるという物語です。その物語を読む限りでは、芥川は正気と狂気、美と醜、善悪や倫理を超えた境地に達しています。善悪の彼岸にいる芸術家、芥川龍之介を「裁く存在」など、もはやいないような状態にも思えますが、それでいて自身を断罪し、自死へと導いたのは「浄玻璃の鏡」のような存在、つまりもう一人の自分自身だったのではないかと思うのです。

聖書と厭世主義の誤読

彼は、それでも、死を選ぶ前にキリスト教に救いを求めようとしますが、挫折しています。

なぜ挫折したのか。断定はできませんが、彼の聖書の読み方に少なからず問題があったのではないかと思います。特に「聖霊」についての解釈などは、首を傾げざるを得ません。たとえば、「我々は風や旗の中にも多少の聖霊を感じる」「聖霊は必ずしも『聖なるもの』ではない」「聖霊は悪魔や天使ではない。勿論、神とも異なるのである」「我々は時々善悪の彼岸に聖霊の歩いているのを見るであろう」「マリアの聖霊に感じて孕んだことは羊飼いたちを騒がせるほど、醜聞だったことは確か」「彼（キリスト）は母マリアよりも父の聖霊の支配を受けていた」など、彼の聖書解釈は「三位一体（父・子・聖霊は元来一体である）」の概念が驚くほどにすっぽりと抜け落ちていて、その代わりに「聖霊」と日本的な「霊」の解釈が入り混じった風変わりな解釈を展開しています。

芥川の「曲解」は、それに留まりません。彼の精神を蝕んだ厭世観の源泉は、彼の環境にもあると思いますが、それをより一層強めたのは、ショーペンハウアーの「読み方」にあったのではないでしょうか。ショーペンハウアーの思想といえば、「ペシミズム（厭世主義）」が代名詞のように語られます。なるほど、ショーペンハウアーの人生観を集約した次のような文章を読むと、そのまま厭世的と感じられます。

ひとつの雄大な美しい音楽を演奏しようと準備を整えている管弦楽団から、わたしたちが、ただ、混乱した音調、走り過ぎ去る管弦の音、始まったり途絶えたり・しかもさっぱり完結しないさまざまな楽曲や、いろんな種類の細かい断片的作品ばかりを聴かされるのと同様に、人生においても、全体が錯乱しているため、意のままになる快適な富裕な境遇とか、幸福に恵まれた生涯などは、とても認められず、現れてくるのは、ただ、それの断片、杯をつきあわす弱々しい音、発端だけであとは続かぬほんの真似ごとぐらいのところに過ぎない。――たとえ、その管弦楽団の中で、或るひとりが、いかなる楽曲をはじめたところで、調子は乗らず、節は乱れて、期待していたような雄大な美しい音楽とはならないから、むしろ演奏を思いとどまった方がましであろう。

ショーペンハウエル『自殺について』石井立訳

ショーペンハウアーは、人生を音楽にたとえ、どのみち注意散漫な酷い演奏にしかならないのだから、それなら始めから演奏しないほうがマシだと人生を投げてしまう。そのような厭世観に芥川もすっかり呑み込まれた可能性は高いと思います。事実、芥川はショーペンハウアー（ショオペンハウエル）について以下のような考察を作品中に残しています。

しかしショオペンハウエルは、――まあ、哲学はやめにし給え。我々はとにかくあそこへ来た蛾と大差のないことだけは確かである。もしそれだけでも確かだとすれば、人間らしい感情の全部は一層大切にしなければならぬ。自然はただ冷然と我々の苦痛を眺めている。

ショオペンハウエルの厭世観の我々に与えた教訓もこういうことではなかったであろうか？

芥川龍之介「侏儒の言葉　補輯　或自警団員の言葉」

厭世観につける薬は筋トレ・睡眠・芸術

ところが、ショーペンハウアーは現世の無意味さを説いているのとは別次元で、「それはさておき、生きている人間がいかに生きていけばいいのか」について、丁寧に指南しているのです。形而上学的な世界観と形而下的な処世術の両者をきっちり分けて、それぞれを後世に残している哲学者などそうそういません。ショーペンハウアーはそれを残している稀有な哲学者なのです。彼は、自分の厭世哲学が劇薬であるという自覚があったのか、「解毒剤」を残していたというわけです。

その解毒剤とはどのようなものか。なんとそれは、「筋トレ」と「睡眠」と「美しい人間を見ろ（もしくはそれをベースとした芸術に触れること）」というものでした。

「筋肉をおおいに働かせているあいだも、その後も、脳を休息させなさい」

「軽度の筋肉活動によって呼吸が増し、酸素の供給がよくなって動脈の血液が脳へ上昇するのを促す」

「脳には、熟考に必要な睡眠を十分に与えるとよい」

「健康なときは、全身および身体の各部をおおいに働かせて負荷をかけ、いかなる不都合な影響にも抵抗できる習慣をつけて鍛えなさい」

ショーペンハウアー『幸福について』鈴木芳子訳

「なんといっても、最も美しい人間の顔かたちほど、これをながめるわれわれに、一瞬何ともいえないような快感を与え、われわれ自身を、否、われわれを苦しめるすべてのものを超越させてくれるものはない」

同『存在と苦悩』金森誠也訳

ショーペンハウアーは、「美」についてのゲーテの言葉「人間の美しさを眺めた者は、けっして不幸に見舞われない」を引用し、それは、めったにない諸条件の下に芸術家によってもたらされる、としています。

「はじめに」で取り上げた水木しげるの愛読書、『ゲーテとの対話』ではラファエロやモーツァルトが例として挙げられていましたが、ショーペンハウアーは、そのような芸術家の作品によってもたらされる感動こそが、人生の苦を忘れさせてくれると考えたのです。

しかしながら、もしも芥川龍之介が、よく眠る、健康な筋トレマッチョマンであったとしたら——。はたして、彼の晩年の名作たちは存在したのでしょうか。有名なテーマだった「ドッペルゲンガー（分身）」（第4章参照）も「透明の歯車」も、神経衰弱症状とは切っても切り離せないでしょう。「侏儒の言葉」には次のような一文もあります。

わたしはある雪霽（ゆきば）れの薄暮、隣の屋根に止まっていた、まっ青な鴉を見たことがある。

芥川龍之介「侏儒の言葉　補輯　鴉」

健康的な生活をまっとうすることが正しい生き方だとすれば、神経衰弱におちいって自ら死に接近し、ついには真っ青なカラスを幻視するような体験は、明らかに間違っているでしょう。

それでも読者は、いつの時代も芥川の作品の中に「己の歪み」を鏡の中に映るように見出し、共感してきました。なぜなら、多少の違いはあれども、人間というものは、少なからず歪んでいて、その歪みこそが人間が存在する意味でもあるからです。音楽でも文学でも、「健康的な、余りに健康的な」人間からは、ユニークな作品は生まれないのかもしれません。

COLUMN

コラム

筋トレするデカダン 三島由紀夫の不思議

ショーペンハウアー・澁澤・三島

本章で述べたように、ショーペンハウアーには「厭世主義的な世界観を持ちながら、健やかに生きる処世術（筋トレ）も並行して説いた」という両面がありました。しかし、哲学者のそのような〝気遣い〟はあまり知られておらず、厭世主義の哲学者として強く印象づけられています。厭世哲学には「ハーメルンの笛吹き」のような危なさがあり、はまり込むと美しい森に誘われて、いつの間にか崖から飛んでいた、ということになりかねません。

かの三島由紀夫が、デカダンスと呼ばれる退

澁澤龍彦（1928～1987）

廃主義に傾倒していたことにも着目してみましょう。

彼が少年時代より文学の出発点をデカダンスに据えていたことは、記録が残されていますが、三島の美学的系譜を語るうえで欠かせないのが、デカダンスな歪んだショーペンハウアー像の存在です。そこには19世紀末のフランス前衛作家の間で流行したショーペンハウアーの翻訳本が、「厭世的な部分だけ抜き書きしたもの」であったという背景があります（大野英士『サロメとスフィンクス』）。

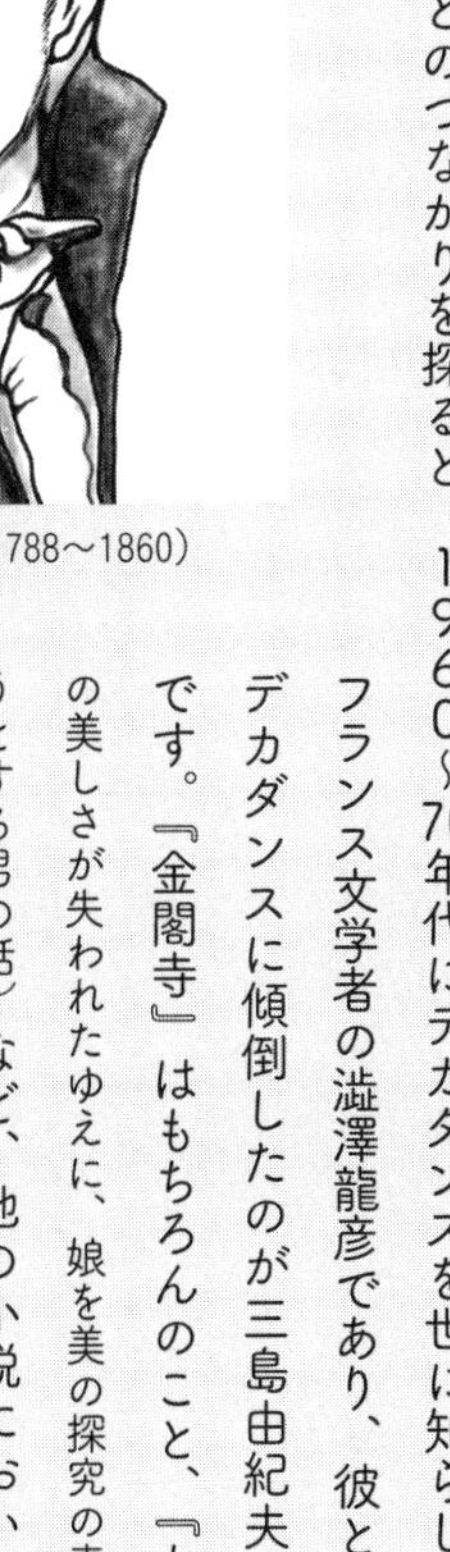
ショーペンハウアー（1788〜1860）

それと三島とのつながりを探ると、1960〜70年代にデカダンスを世に知らしめたのがフランス文学者の澁澤龍彦であり、彼と交流し、デカダンスに傾倒したのが三島由紀夫だったのです。『金閣寺』はもちろんのこと、『女神』（妻の美しさが失われたゆえに、娘を美の探究の素材にしようとする男の話）など、他の小説においても主人公が美を探究するがゆえに世間から逸脱してしまうストーリーは、いわば三島の定番でした。

ショーペンハウアーがイデア（本質的な真実の存在）なるものを重んじるあまり、現世の物質的

三島由紀夫（1925〜1970）

世界をまるでコピーミスの紙のように解釈したことと、美を追求するあまりに現世を軽んじ、死を希求した三島の姿は通じるところがありますが、先にも述べたように、実際のショーペンハウアーは健康に生きるための運動の必要性を説くというバランス感覚を兼ね備えていたのです。

ところが、三島は筋トレのマニアだったにもかかわらず自死に至っています。

その不可解さに関しては、俳優の仲代達矢の証言が参考になると思います。ボディビルに打ち込む理由を仲代に聞かれた三島は、「僕は本当に切腹して死ぬ時に、脂身が出ないように、腹だけを筋肉にしているんだ」（中川右介『昭和45年11月25日三島由紀夫自決、日本が受けた衝撃』）と、答えているのです。

三島にとってのボディビルは、健康維持とは意味合いが違い、退廃的な美学の下で筋肉という死装束を編むような行為だったのでしょう。

メフィストの呟き

芸術とはなんだろうか。美の追究？　現代美術には社会風刺の側面もある。「美の本質を追究する」という意味での「芸術」を追い求めるのであれば、人間どもはメフィストの力を借りる必要がある。現世に「本当の美」なんてものを出現させようとするなんて、狂気の沙汰としかいいようがない。天使の美しさを人間の手で作り出そうとする背徳的な行為だ。

ダヴィンチ村のレオナルドなんて背徳的な探究をニタニタしながら楽しんでいた。あいつの探究心には、さすがの私もちょっと引いた。

小説家だと、三島由紀夫には驚かされた。三島は作品ではシンジツの美の世界に到達できないと思ったのか、裏道を探し始めたんじゃないか。あれには虚を突かれた。でも、裏道を最初に見つけた人間は三島じゃない。三島は、マルキ・ド・サドが見つけた、裏街道を通ったんだ。

サドや三島は苦を快楽とする、さかさまの世界に生きていた。彼らの考え方は、一般的な死生観とは別枠で考えたほうがいい。彼らにはすべてをひっくり返して見る才能があった。苦しさと快感、現実と虚構も、ひっくり返して考えたんだ。

実は、ここにメフィストのパワーが働いていたのだ。

苦と快楽、現世と夢、表の人格と裏の顔、すべてのものごとの裏と表をひっくり返して、人間が新しい価値を創造していくのを手助けしていたのは、メフィストの力なんだ。

考えてもみてほしい。神が作り出した世界をそのままにしておいたら、人間どもにオリジナリティなんて生まれやしない。だから私は、人間が寝ている間に夢の中に忍び込んで、倒錯するように仕向けた。

マルキ・ド・サド（1740〜1814）

遊園地で「びっくりハウス」というアトラクションに入ったことはあるだろうか？　人間を椅子に座らせておいて、周囲の鏡をくるくる回転させると、人間は、まるで自分自身が回っているように錯覚する。ああいう、奇妙な仕掛けを作って、人間がくるくる目を回すのを見るのが好きだ。なぜなら、価値を転倒させる仕掛けに転んだ人間は迷い、考え、しまいには神にもメフィストにも思いつかなかったような、とても面白いモノを作りはじめるからだ。それが芸術というものの一つの側面になる。

芥川はメフィストの理解者の一人だったと思う。

第

章

夢オチ死生観とマドレーヌの味

——池田晶子、荘子、プルースト

夢の中に忍び込むのは悪魔（メフィスト）の得意技だ。眠っている人間は、心も無防備だから。夢の世界は人間が思っているよりも広いものだ。いや、むしろ、この世界も、夢の一種だといえるかもしれない。

取扱注意！　夢オチ死生観とは？

本章では、『「死」の哲学入門』では触れなかった死生観について探ってみましょう。深追いすれば現実を生きている感覚を見失う危険があり、かといって反証しようとすれば底なし沼にハマってしまいそうな取扱注意の死生観、いわば「夢オチ死生観」についてです。

日本には、この「人生＝夢」説を徹頭徹尾、貫いた哲学者がいました。「哲学読み物」というジャンルを日本で確立した故・池田晶子氏です。池田氏は自身のロングセラー『14歳からの哲学』でこう述べています。

夢を考えるのには、得体の知れない面白さがあって、冒険者にはたまらない魅力のはずだ。もうひとつだけヒントをあげると、宇宙というもの自体が、自分が見ている夢だからなん池田晶子『14歳からの哲学 考えるための教科書』

だ……。

本稿の執筆を始めた頃、私は「人生＝夢」説を簡単に覆すことができるとタカをくくっていました。しかし、意外にも困難を極めたのです。現実と夢の境界線に佇んでいるかのような池田氏の術中にまんまとハマってしまったのかもしれません。「私たちが生きているこの現実は夢ではない」という確証は理論上、どうしても得られないようなのです。

この「夢と現実に関する懐疑」の問題は、池田氏の素朴な疑問というわけではありません。哲学界においても、この問題はいっこうに克服されておらず、むしろ「見て見ぬ振り」をして哲学を先に進めてしまうことへの警鐘を鳴らすべき根深い問題でもあります。

近年の哲学研究ではバリー・ストラウド『君は夢を見ていないとどうしていえるのか』がその代表で、さまざまな哲学者の思想を検証しつつ、デカルトの懐疑主義がいかに覆せないか、ということを繰り返し述べています。

池田晶子（1960〜2007）

デカルトの結論とは、夢と現実の境界は悟ることができない、感覚すらも疑ってかかる必要があるということと、この感覚すら間違っているのかもしれない……と疑っている理性のみが確かなものだ、というのです。なるほど、デカルトは次のように述べています。

> さて、神と魂の認識により、こうしてこの規則が確実なものとなったうえは、睡眠中に思い描く夢想が、覚醒時に抱く思考の真理性をけっして疑わせるはずがないのが、きわめて容易に知られる。というのは、眠っていても、何かきわめて判明な観念を持つようなこと、たとえば幾何学者が何か新しい証明を発見するようなことが起こったら、眠っていたからといってその証明が真でなくなるわけではないからだ。そして夢の示すいちばん普通の誤謬、つまり、夢がさまざまな対象を、われわれの外部感覚と同じやり方で表象することについては、それが、こうした感覚的観念の真理性を疑わせる機縁となってもさしつかえはない。こうした観念は、われわれが眠っていなくても、しばしばわれわれを欺きうるからである。黄疸にかかった人には何でも黄色く見えるし、星やその他きわめて遠くにある物体は実際よりずっと小さく見える。結局のところ、われわれは、目覚めていようと眠っていようと、理性の明証性による以外、けっしてものごとを信じてはならないのである。
>
> デカルト『方法序説』谷川多佳子訳

デカルトの確信も、池田氏の素朴な疑問も、どうしてもひっくり返せない問題なのです。

そこで今度は、哲学とは少し違った角度から検証を重ねてみましょう。

胡蝶の夢と映画《インセプション》

池田氏の世界観を文学的に表現すると、荘子の「胡蝶(こちょう)の夢」に結びつきます。

かつて荘周は、夢の中で胡蝶となった。ひらひらと舞う胡蝶であった。己の心にぴたりと適うのに満足しきって、荘周であることを忘れていた。ふっと目が覚めると、きょろきょろと見回す荘周である。荘周が夢見て胡蝶となったのか、それとも胡蝶が夢見て荘周となったのか、真実のほどは分からない。だからと言って、荘周と胡蝶は同じ物ではない、両者の間にはきっと違いがある。物化（ある物が他の物へと転生すること）とは、これを言うのである。

『荘子　全現代語訳』池田知久訳

「胡蝶の夢」の死生観は、人間もチョウも「VRゴーグル」を装着してゲームをしているようなものであり、昆虫のチョウが「VRゴーグルで人間になったゲーム」をプレイし、人間が「VRゴーグルでチョウになった」ゲームをプレイする、それがオンラインでクロスしている、といったイメージを持つとわかりやすいかもしれません。「胡蝶の夢」の死生観は、どちらが表でどちらが裏かわからないメビウスの輪のようなものだとも言えます。

「胡蝶の夢」の死生観を階層構造に複雑化させたのが、アメリカ映画《インセプション》（監督クリストファー・ノーラン、2010年）です。この作品は、六人の登場人物が特殊なマシンを介して「夢」を共有し、第一層、第二層、第三層、さらに深い層、と夢の重層構造を往来します。第一層は「夢」、第二層は「夢の中で見る夢」、さらに第三層は「夢の中で見る夢の中で見る夢」という構造になっていて、それらの間を行ったり来たりするのです。

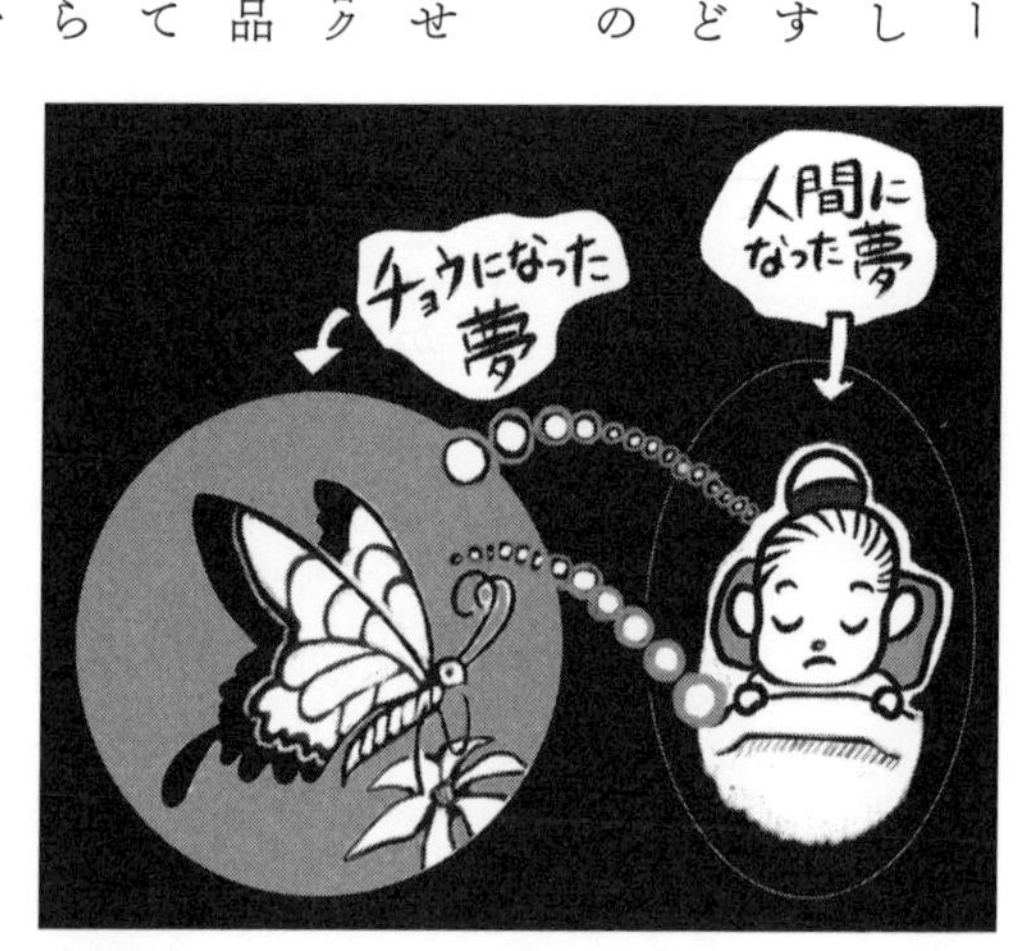

胡蝶の夢

最終的に鑑賞者は、この重層構造にすっかり慣れてしまい、私たちが生きる「リアル」にも、さらに上位階層の「夢」があるかもしれないというアイデアが自ずと頭をよぎる、という仕掛けになっています。

主人公の妻はすでに亡くなっているのですが、主人公の夢の中に残像として存在していて、主人公はその影に向かって、「これは現実ではない」と諭します。しかし、そのセリフは、現実世界で妻が自死する直前まで呟いていた言葉なのです。ですから、ここで主人公が夢の中だと思っているものこそが現実であるという可能性もまた捨て切れず、その逆もありうるということになるのです。つまり、「他者」とは、すべて自分の夢の中の影に過ぎないという可能性を、どの階層でも消すことができないのです。

この映画の中では、トーテム（回るコマ）の動きだけが現実を見極める象徴（63ページ図）とされています。夢の中、その夢の中の夢、そのまた夢の中の夢という風に遡り（あるいは「潜行」し）続けていると、目の前で起こっていることが、現実なのか、あるいは誰かの夢の中に取り込まれているのか、まるで区別がつかなくなってくるため、映画の登場人物は、トーテムの動きによって夢とリアルを区別するということになっているのです。トーテムがくるくると回り続ければ夢の中にいる、途中でコマがバランスを崩すのであれば現実世界にいるという区別が一応つきます。

トーテムとは本来、文化人類学の用語でもあり、ある集団に特殊な関係を持つ植物・動物・自然現象・記号的なモノのことを指し、宗教的な儀礼にも関連します。一方、映画《インセプション》におけるトーテムは、目の前を現実だと信じるためのきっかけとなる宗教的イコンのようなものです。私たちが目の前にしているものを、まさにこれが現実だと思い込むことも、ある種の宗教のようなものかもしれないと気づかされます。

物理法則さえも確かなものではない？

小さなコマが倒れるというような物理現象が、現実を現実と保証できるものなのかといえば、現代哲学ではそれは必ずしも「保証できる」とは言えません。イギリスの哲学者カール・ポパー（1902～94）はその不可能性を指摘していて、現代哲学の旗手カンタン・メイヤスー（1967～）は次のように述べています。

> われわれが理論に経験的証明をいくつ差し出そうとも、理論とはいつでも新たな経験によって反証され、物理学の可能性の新たな地図を描くいっそう強力な新理論に凌駕（りょうが）されることもありうるものなのです。それゆえ、あれこれの出来事が決定的に不可能であると「物理学の名のもとに」断言することは不可能です。
>
> カンタン・メイヤスー『亡霊のジレンマ 思弁的唯物論の展開』岡嶋隆佑他訳

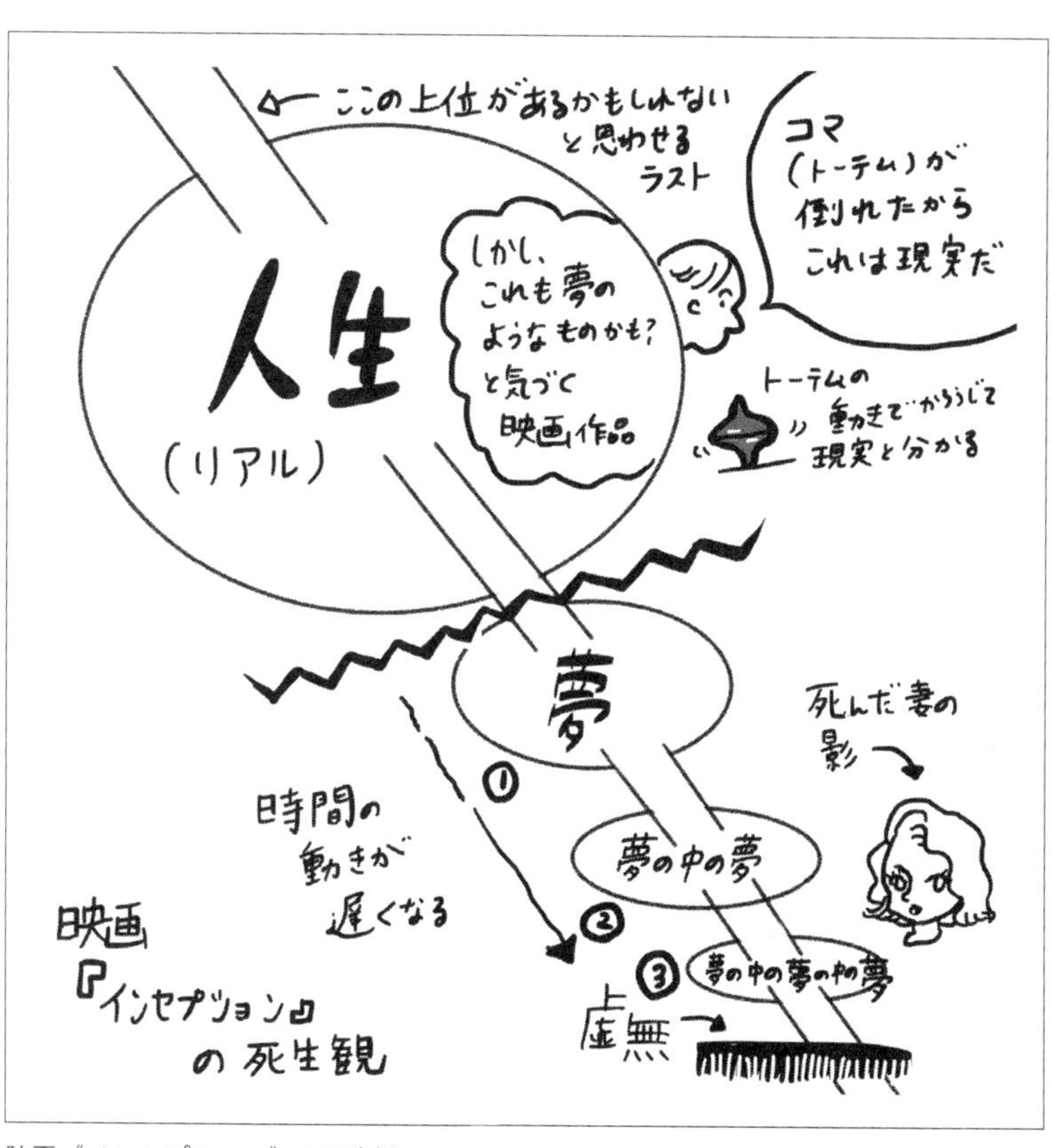

映画《インセプション》の死生観

昨日まで当たり前と思っていた科学的な枠組み（パラダイム）も、いつなんどき覆されるかわからないということです。どれだけ検証の数を増やしても、それは新たな経験によって反証されてしまいます。たとえば、明日、突然「お日様が西から昇った」としたら、過去の物理法則は成立しなくなります。これは『天才バカボン』の「西から太陽が昇って東に沈む」と歌うオープニング曲を思い出させます。

私たちが常識だと思っていることは、翌日まったく予想もしない現象によって通用しなくなるかもしれないとポパーは指摘しているのです。それに伴って過去の物理法則も反証されてしまう。現代哲学は物理法則すら信じないところにまで到達し、ついにはバカボンのパパと同じ境地にまで達しました。つまり、映画《インセプション》で現実と夢の違いを示すとされる物理現象も、確かなものではないということになります。

物理法則さえ疑ったその先には

さらに映画《ミスター・ノーバディ》（監督ジャコ・ヴァン・ドルマル、2010年）がポパーの考えを理解するヒントになります。

2092年のある日、宇宙の収縮（宇宙は拡大と収縮を繰り返すという仮説に基づく）によって、「時間」の枠組みが崩壊してしまいます。まさにポパーの議論を地でいくこの映画は、私たちが正解だと思っていたこれまでの物理法則が一切通用しなくなる世界を描いています。拙著『「死」の哲学入門』では、最新の物理学における「時間」の概念（時間は川の流れのようなものではなく、別の何かである可能性）に触れましたが、この時間というものを最小まで突き詰めれば「粒（つぶ・粒子）」であるという議論があります。

物理学者のカルロ・ロヴェッリ（1956〜）は、「時間」は私たちが常識的に考えるよりも、ずいぶん奇妙な存在であることを指摘しています。

> 言葉を変えれば、時間には最小幅が存在する。その値に満たないところでは、時間の概念は存在しない。もっとも基本的な意味での「時」すら存在しないのだ。
>
> アリストテレスからハイデッガーまで、長い年月の間に「連続性」の性質を論じるために費やされた膨大なインクは、おそらく無駄だったのだろう。連続性は、きわめて微細な粒子である対象物をなぞるための数学的技法でしかなかった。この世界はごく微細な粒からなって、連続的ではない。
>
> カルロ・ロヴェッリ『時間は存在しない』冨永星訳

時間が粒子であるとすれば、私たちはそれを便宜的に時計でブツブツと切るように測っているに過ぎないのです。その粒子の動きが突然、止まってしまったとしたら？　時間が崩壊するなどと、普段は思いもしませんが、考えてみると面白いものです。映画《ミスター・ノーバディ》は、そのような思考実験的な映画なのです。時間という檻から解放された主人公は、宇宙における時間の崩壊を待ち望んだ確信犯という設定なのですから。

主人公の人生は、既定の物事とそれに連なる時間の流れの総合です。たとえば、主人公はAと結婚するか、Bと結婚するかで、人生が違ったものになります。A、Bのうち、どちらを選ぶのか。そうしたさまざまな選択の完了によって、次々とドミノ倒しのように人生が決定されていきます。人生の幸・不幸、あるいはそのどちらでもないのかは、ドミノ倒しの結果論となります。

しかし、ある時点で宇宙が収縮し始めます。それに伴い、時間の枠組みが崩壊して、過去も未来も存在しなくなり、過去の選択は「決定済み」にはなりません。つまり、主人公の人生の可能性は空中浮遊する「何でもあり」の無限の広がりとなり、そのうちのいくつかの可能性が、オムニバス方式で詰め込まれているのが、映画《ミスター・ノーバディ》です。主人公の到達した世界は、すべてのドミノが倒れないまま散乱している巨大な地図を、まるごと目の前にしているようなものです。むしろ、彼はあらかじめこの宇宙のカラクリに気づいており、人生において何も選択しないまま、すべての可能性を保留にしておいて、時間の崩壊を迎えた後にすべてのルートを経験する特別な権利を手に入れることに成功したという解釈も可能です。彼は過去に何も選択をしなかったため、何者でもありません。しかし、だからこそ時間が崩壊した際にはすべてを経験することが可能な万能者になりえるのです。

この映画を手がかりにして、時間を取り払った世界を考えるとするならば、可能性の洪水状態、「ある」「ある」「ある」「ある」「ある」(何でもある)の世界、ということになるでしょう。

ここまで世界を解体してしまうと、現実だと思っていたものは砂上の楼閣となり、夢と現実は、ほとんど見分けがつかなくなります。ポパーは、このように物理現象が突然変化し、これまでの物理法則が成立しなくなる事態をも想定したのでしょう。私たちの生きているこの宇宙にも、いつか終わりが来ると想定するならば——徐々に崩壊するのか、一気に崩壊するのかは別にして——ありえない話とも言えません。

それでも身体に戻る私

しかし、陽炎(かげろう)のような「ある」「ある」「ある」の連鎖の中では、人間の死生に関する問題は、ミルフィーユの皮のような軽さしか持ち合わせないことになります。やはり、どうしても私は、人間の現実の身体とその死の問題、つまり素朴な死生観にもう一度戻りたくなります。そこで登場願うのが、20世紀文学の最高峰といわれるマルセル・プルーストの

『失われた時を求めて』（執筆は1912～1922年）です。「この人生は夢なのか？」という問題の着地点として、私は以下を引用したいと思います。

やがて私は、陰鬱だった一日の出来事と明日も悲しい思いをするだろうという見通しに打ちひしがれて、何の気なしに、マドレーヌのひと切れを柔らかくするために浸しておいた紅茶を一杯スプーンにすくって口に運んだ。とまさに、お菓子のかけらのまじったひと口の紅茶が口蓋（こうがい）に触れた瞬間、私のなかで尋常でないことが起こっていることに気がつき、私は思わず身震いをした。ほかのものから隔絶した、えもいわれぬ快感が、原因のわからぬままに私のうちに行きわたったのである。

プルースト『失われた時を求めて1』高遠弘美訳

プルーストは、視覚の記憶とその他の記憶を峻別していました。

私の作品は、無意志的記憶と意志的記憶の区別に貫かれています。（中略）私にとって意志的記憶は、とりわけ知性と目の記憶であって、過去にかんして真実を欠いた面しか与えてくれません。ところがおよそ異なった状況のなかでふたたび見出されたにおいや味が、思いもかけず過去をわれわれの心に呼びさましてくれると、この過去が、それ以前にわれわれわれが思い出していると信じていた過去、意志的記憶がまるで下手な絵描きのように真実を欠いた色彩で描いていた過去と、どんなに違ったものであったかをわれわれは感じます。

「ル・タン紙のインタビュー」鈴木道彦『プルーストを読む』

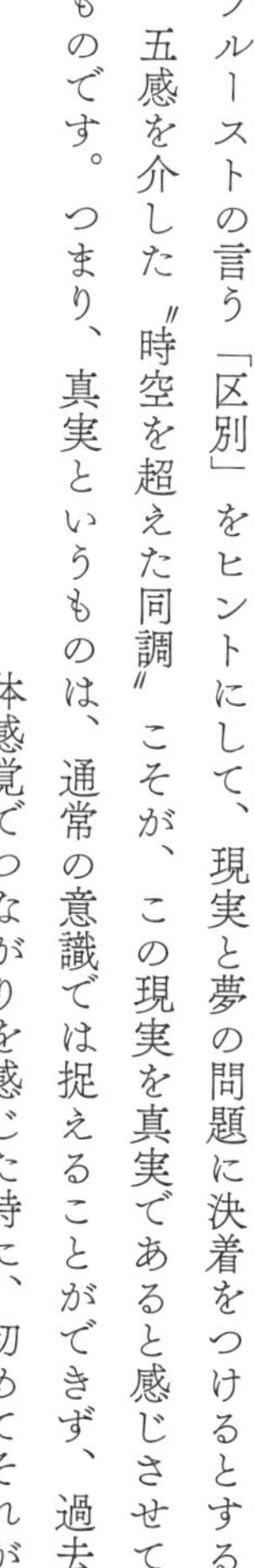
マルセル・プルースト（1871〜1922）

プルーストの言う「区別」をヒントにして、現実と夢の問題に決着をつけるとするならば、五感を介した〃時空を超えた同調〃こそが、この現実を真実であると感じさせてくれるものです。つまり、真実というものは、通常の意識では捉えることができず、過去と身体感覚でつながりを感じた時に、初めてそれが真実であるとわかるわけです。それを文学的な視点で発見したのがプルーストでした。これは哲学的な発見ともいえるものでしょう。

なお、『失われた時を求めて』のマドレーヌの話があまりにも有名になってしまったためか、小説の後半で、主人公が敷石につまずいた際の閃き（次の引用文）に結びついて一つの像を描き出していることはあまり知られていません。マドレーヌのくだりが、わかったようでわからないのは、そのためかもしれません。

……下がった拍子に、車庫の前にある敷石に思わずつまずいた。角のきちんと削られていないその敷石である。体勢を立てなおすために、さらに低い位置にある敷石にもう片足をのせた瞬間、ぼくの落胆はことごとく消え去り、ある至福感が心を満たした。

その至福感を人生のさまざまな時期にぼくに与えてくれたのは、バルベックの周辺で馬車に乗って散歩している途中、かつて見たと思った木々を見つけたときや、マルタンヴィルの鐘楼（しょうろう）の眺めや、お茶にひたしたマドレーヌの味や、そのほかぼくが語ってきた――ヴァントゥイユの晩年の作品がそれらを統合しているような、多くの感覚などだった。ぼくがマドレーヌを味わったときと同じように、未来にたいするいっさいの不安が、いっさいの知的疑惑が一掃されたのだ。

プルースト『失われた時を求めて 全一冊』角田光代・芳川泰久編訳

……無意識にぼくがプチット・マドレーヌの味を再認識したとき、死への不安がやんだことへの説明がつく。何しろ、そのときのぼくは、超時間的な存在となり、だからこそ未来に待ち受ける苦難など気にならない存在になったのだ。そうした存在は、ものごとの本質を糧として生きているが、その本質を現在においてつかまえることはできない。

同

過去と現在の奇妙なシンクロが、いまこの瞬間に起こり、それによって魂の連続性が直感される、死の不安は乗り越えられることを、プルーストは発見したのです。プルーストの作品は、魂が肉体を通じて顔を出す瞬間を即座にとらえました。

先に引用した物理学者のロヴェッリは『失われた時を求めて』について、「主人公の脳のシナプスの間にある、乱れて曲がりくねった複雑な流れ」(『時間は存在しない』)を描いていると評しました。確かに、物理学者の目から見れば、主人公の紅茶とマドレーヌの記憶は、「シナプスのつながり」ということになるでしょう。しかし、プルーストの感性は、記憶を超えた魂を描き出しているように思えるのです。

この「紅茶とマドレーヌの記憶」について、物理学者は物理現象として捉え、哲学者はその記憶自体の真偽を問いますが、小説家の感性は一杯の紅茶の記憶に無限のインスピレーションや人間の本質を見出そうとします。だからこそ、プルーストはインタビューで「無意志的記憶」と「意志的記憶」などという区別をわざわざ強調したのではないでしょうか。ベルクソンは『物質と記憶』の中で、「記憶は現実の直観に取って代ってしまう」と述べていますが、それを具体的に描き得るのはこうした文学的感性だと思います。

この文学的感性をもって、「紅茶とマドレーヌ」のくだりを読めば、人間の身体感覚こそが、夢・現実の判断とは別の次元で魂を描き出すものであり、それは同時に根源的な存在とのつながりを示すもの、世界の実在性を示唆するヘソの緒ではないかと思うのです。

現実を肯定する力

本節を書き終えようとした、まさにその日、思わぬことが起こりました。

それまで見たことがなかった「におい付き」の夢を、私は人生で初めて体験したのです。普段、私が見る夢はフルカラーで、空間としての広がりや時間の経過も感じさせます。それまで、私にとって嗅覚と味覚は、夢と現実を隔てるトーテムのような存在だったのです。

ところが、まるでメフィストが悪戯をするように、その思い込みが一晩で覆ってしまったため、私の夢と現実を隔てるミルフィーユのように薄い皮は、残る味覚のみとなりました。その手がかりも、ある日突然、味を感じる夢を見ることで反証される可能性があります。

結局のところ、人間は、どこまでいっても、現実を現実だと確証できないのかもしれません。とはいえ、現実だと思っている世界が、実際には現実ではなく、夢の中の世界、宇宙のカオスが見せる幻想だとしても、その複雑怪奇な夢を見せるシステム自体には何かただならぬ秘密が隠されているには違いないのです。

その一方で、もしこの人生が、「胡蝶の夢」のようなものだとしても、私たちが現実だと信じている世界が「リアルである可能性」自体は、捨ててはならないと考えます。そして、その可能性は、おそらく根源的な存在に通じるのではないかとも思うのです。

この「根源的な存在」を考える際に、重要なヒントをくれるのが神学者のパウル・ティリッヒ（1886〜1965）です。彼のヴィジョンは壮大で、神ではなく「神を超える神」を想定することで、ようやく懐疑主義は乗り越えられると主張しています。そして、「それが」現出するのは運命と死の不安のなかで伝統的なシンボルが力を失い、それでも私たちが勇気を持った時のみだというのです。私たちが死の不安にさらされ、それでも湧いてくる勇気こそが「存在それ自体」の証明になるといいます（パウル・ティリッヒ『生きる勇気』大木英夫訳）。

とはいえティリッヒの思想を理解するには、神を超える神にせよ、神を信じることを前提にしつつ、神の存在を想定しなければならないですから、神を信じない人にとってはティリッヒの思想のスタート地点に立つことはできません。となると、私たちは、思うままにならぬ肉体を抱えながらも、この「リアルだと信じている世界」をさまざまな思惑を抱えながら生き切らなければならないのです。

COLUMN

コラム

夢見る人が、夢見る人の夢から作られる話

ボルヘス「円環の廃墟」

シェイクスピアから影響を受けていたボルヘス

序章のコラムで取り上げた夏目漱石の『夢十夜』は、生・死・夢がぐるぐると溶け合い、私たちが生きているこの世界が、いかに不確かなものであるか、足場がぐらつくような感覚を惹き起こす作品でした。ここでは、「夢」という主題をさらに掘り下げた作家を紹介したいと思います。

アルゼンチンのホルヘ・ルイス・ボルヘスは、ラテン・アメリカ文学を代表する作家であり、世界中の思想・文学・宗教に通じた知の巨人でした。たとえば『七つの夜』（講演録、1977年）の仏教の項目を読むだけでも、圧倒されます。ボルヘスは、仏教を夢と関連づけて「陰気なショーペンハウアーにとり、またブッダにとって、世界は夢であり……」（野谷文

昭訳）と語っています。さらに、精神的実体を否定した哲学者ヒューム（1711〜1776）の思想も引用して、生が夢のようなものである可能性を説いています。

また「睡眠中に見る夢」に関しては、「夢の中では私たちが天国にいることも地獄にいることも不可能ではない、おそらく私たちは何者か、シェイクスピアが the thing I am『私であるところのもの』と呼んだ何者かになるのです」

ボルヘス（1899〜1986）

と語ります。ボルヘスは「我々は自分たちの夢と同じ木材で作られている」というシェイクスピアの言葉にインスピレーションを得ていたようです。

ボルヘスの思想をまとめるとすれば、生が夢のようなものであると同時に、夢こそが生死を超えるものであるということになると思います。

こうした夢・生・死に関する博覧強記は、珠玉の短篇小説において縦横無尽に生かされています。ボルヘスの作品世界は、「死の文学」の万華鏡のようです。

「円環の廃墟」は荘子の世界を無限に拡大したもの

ボルヘスの真骨頂は「円環の廃墟」(『伝奇集』)に十全に表われています。

小説の舞台は時空を超越した廃墟の神殿、そこで、ある男が夢を見ています。彼は自分の夢から実在する人間を作り出そうとして、試行錯誤の末に、ついに自分の望む人間を創造することに成功します。彼はその人間を息子のように愛します(現実と明記しているわけではないが、以下の記述からそれを読みとることができる)。

> 息子にはもう生まれる用意ができている——おそらく、それでいらだっている——ことを知って、男はつらい思いを味わった。その夜、男は息子に初めて接吻を与え、わけ入りがたい密林と湿地が何マイルも続いた下流に、白っぽい廃墟が残されているべつの神殿へ送り出した。それに先だって、(おのれが幻であることを決して悟らないように、また、自分が他の人間とおなじ存在であると信じこむように)修行時代の歳月をすべて忘れさせた。
>
> ボルヘス「円環の廃墟」『伝奇集』鼓直訳

話はそこで終わりません。この主人公もまた「別の誰かが夢に見た人間」であった、という気づきがこの作品のクライマックスです。

この短篇は、荘子の「胡蝶の夢」を、無限の「入れ子構造」にまで拡大させています。入れ子構造とは、映画《インセプション》の「夢の夢のそのまた夢」の構造、自分の自我だと認識していたものは、誰かの夢の影に過ぎなかった……というのと同じです。自分が夢に見た素材から作り出した人間もまた、どこかで夢を見て他の人間を作り出すだろうという無限の連鎖の中に、もし自分（読み手）も入っているとしたら？

ボルヘスの手腕によって、作品の読み手である私たちも、いつのまにか夢のあわいに包みこまれてしまうのです。

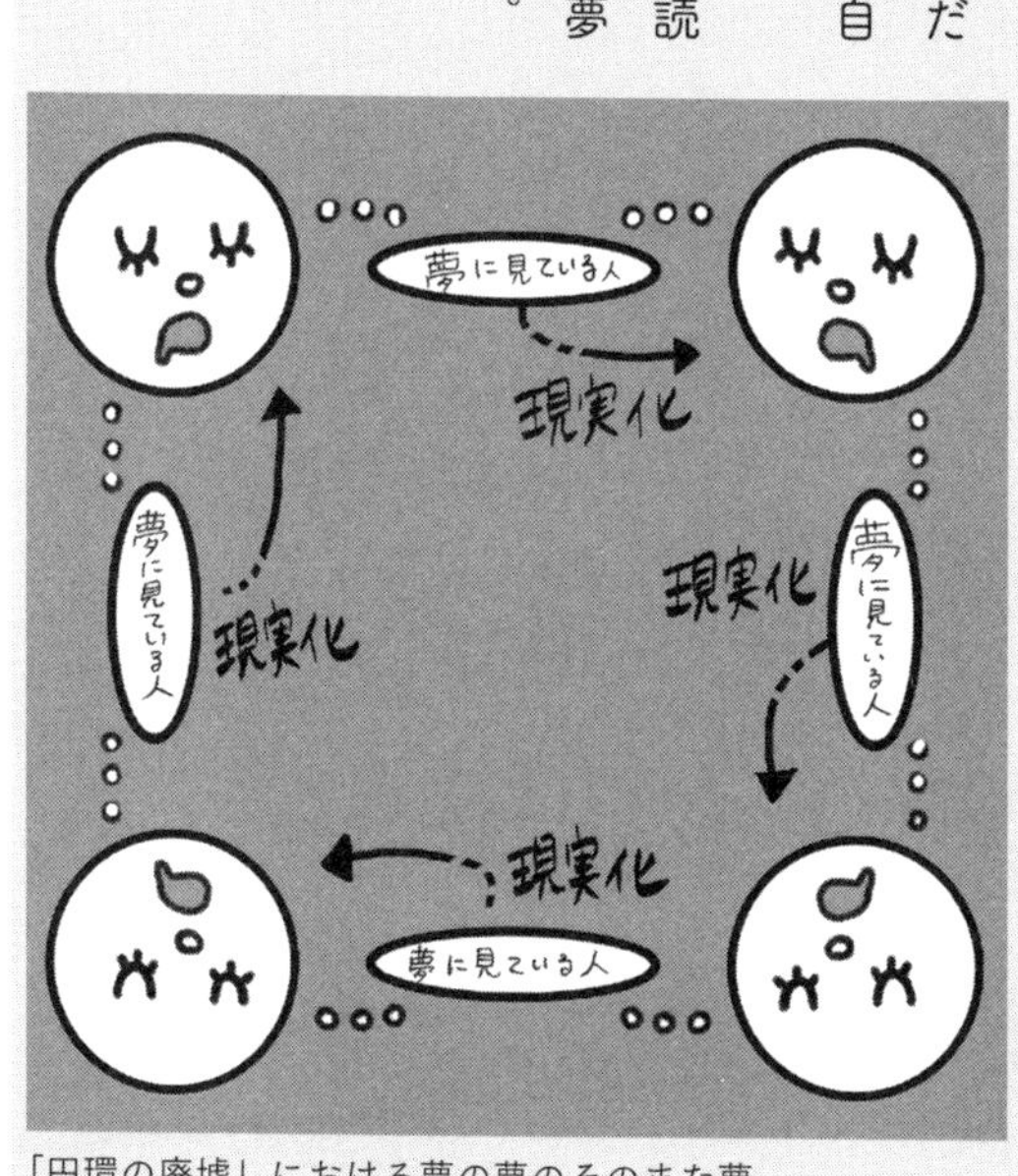

「円環の廃墟」における夢の夢のそのまた夢

第

章

「死の文学」としての村上春樹の短篇小説

村上春樹は悪を描くのが巧みだ。心の中の悪魔を描き出すのもうまいが、小悪魔を動物にたとえるのはさらに巧みだ。特に複数の作品に登場する「品川猿」。彼は人間から名前を奪う品川区在住の猿なのだが、品川区というのがまた絶妙な設定だ。

ヴェイパーウェイブと村上春樹

もう一度、村上春樹を読み直そうと思ったのは、2010年ころから広がりを見せている音楽と映像のムーブメント「ヴェイパーウェイブ」の音楽を聴いていたら、かつてのムラカミ・ワールドがありありと甦ってきたからです。

ヴェイパーウェイブとは、1980年代のアニメやCMなどを切り貼りして、つなげた映像（オリジナルもある）と、それにシンクロした音楽で構成される音楽のジャンルをいいます。カセットテープなどのオールドメディアで音源だけが販売されることもありますが、動画サイトや短い動画をシェアできるブログサービスなどで拡散されることが多く、エンタメなのか、アートなのか、判別するのがむずかしい謎の多さも魅力です。

解説書を読むと「1980年代のポップスや店内BGMなどの音源の音質やスピード

を落とし、延々とループさせる音楽のジャンル」（佐藤秀彦他『新蒸気波要点ガイド　ヴェイパーウェイヴ・アーカイブス2009―2019』）とあり、懐古的なトレンドにも思えますが、若者にとってはレトロな素材のリミックスが新鮮に映るのでしょう。

70年代後半生まれの私には、それらが「バブルを謳歌した死者が、あの世で〝この世の春〟を思い出しながら聴く異次元の音楽」のように聞こえるのです。「バブル」「異世界」という二つのイメージから、私は初めて村上作品を読んだ時の感触を思い出しました。村上の初期の短篇作品には、「死の匂い」をシティ・ポップの感性で装飾したようなものが多く、ヴェイパーウェイブの空気に重なると思ったのです。

ヴェイパーウェイブは、クリエイターが異なっても、使用される素材には定番があります。ギリシャ彫刻、サイバースペース、80年代のテレビCM、イルカ、レトロなドライブ系のゲーム画面などですが、中でもドライブ系のゲーム画面に、スローでメランコリックなメロディを重ねた作品が、村上の短篇小説「眠り」を想起させるのです。

死の文学の傑作「眠り」

「眠り」は、不眠症に悩む女性の話です。彼女は、表面的にはなに一つ不自由のない生活を送っていたのですが、重い不眠によって、誰にも気づかれず日常から逸脱してしまいま

村上春樹（1949〜）

す。奇妙なまでに描写がリアルで、読者は死者の日記を読み返している感覚におちいります。女性は、夜中にそっと家を抜け出し、自家用車で横浜の港へと向かいます。ラジオから流れる歯の浮くようなJ・ポップのラブ・ソングを聴きながらのドライブ。到着した港の駐車場で、彼女は恐怖体験をします。

この恐怖体験が「事件」なのか、彼女が囚われた幻想なのかはわかりません。というのも、直接的に彼女の死が描かれているわけではなく、それとなくわかる描写でこの小説は突然終わるからです。執筆時期を考慮すると、バブル経済の狂乱を目にしつつ、その後の崩壊への予感があった当時の空気を、一人の女性の精神崩壊に投影した作品とも読めます。

彼女が眠れない夜に読み継いでいたトルストイの『アンナ・カレーニナ』にも注目すべきです。主人公のアンナは、自分の気持ちに正直に生きる女性ですが、最後には破滅してしまいます。「眠り」の主人公はこのロシアの大長篇を再読することで、一時的に自分を取り戻していくのですが、そこから生まれた葛藤もまた、彼女を逸脱へと駆り立てることになります。彼女の心身の変化をグラデーションのように描いた「眠り」は、死の文学として優れたものだといえるでしょう。トルストイの傑作と併せて読むことをお勧めします。

怨霊か？ ユングか？ サルトルか？

村上春樹の創作のイメージソースは何なのでしょう。文体や作品のテイストなどからアメリカ文学との類縁性がしばしば指摘されますが、河合隼雄との対談集『村上春樹、河合隼雄に会いにいく』（1996年）において、村上は自身の作風に関連するものとして、源氏物語に登場する超自然的な力、たとえば怨霊などについて語っています。

ぼく自身の感じからいくと、装置としてはじめても、ある時点で装置を越えてしまう部分がある……

村上春樹・河合隼雄『村上春樹、河合隼雄に会いにいく』

ここでの「装置」とは、怨霊などの超自然的な存在を物語の装置とすることを述べていて、単に装置（物語を動かすスイッチ・仕組み）だったものが、それを超えて、物語にとってより本質的なものとなると村上は言っているようです。

そうであるなら、彼の小説のベースには、日本的な霊魂観があるということかもしれません。実際、「眠り」など短篇小説の読後感は、アメリカ文学よりも、上田秋成の『雨月物語』のテイストに近いようにも思います。

しかし、村上が超自然的な現象に関して特別に情熱を持っているかというと、それはちょっと違います。『東京奇譚集』(2005年)に収録された「偶然の旅人」では、作中に作者自身が登場し、「輪廻にも、霊魂にも、虫の知らせにも、世界の終末にも正直言って興味はない。まったく信じないというのではない。その手のことがあったってべつにかまわないとさえ思っている。ただ単に個人的な興味が持てないというだけだ。しかしそれにもかかわらず、少なからざる数の不可思議な現象が、僕のささやかな人生のところどころに彩りを添えることになる」と語っていることから、奇妙な出来事に作者自身が巻き込まれるタイプであることがわかります。

奇妙なシンクロニシティ(日常の「偶然」に意味を見出すこと)の体験が綴られていることからしても、カール・グスタフ・ユング(1875~1961)からの影響も感じます。

これらをまとめるとすれば、日本の怪奇小説、作者の体験、ユング心理学などが独自の作風を生んでいる、といったところでしょうか。

書くことはない。ただ存在した、という恐怖

「偶然」をキーワードにして、もう少し考えを深めてみましょう。

哲学者ジャン＝ポール・サルトル（1905〜80）は、「突然やってくる死」の性質に着目しました。

短篇小説「壁」では、単なる偶然が、処刑されるはずだったある男の生命を救うというストーリーを採り、人間たちの駆け引きの因果とはまったく無関係な別次元に、人の生死を決するものがあるということをテーマにしています。もしかするとユングよりも、皮肉な偶然が生死を決定するというサルトルの思想のほうが、村上文学と相性がいいのかもしれません。たとえば村上の短篇小説「ニューヨーク炭鉱の悲劇」とサルトルの「壁」は、多くの仲間が無残な死を迎え、主人公の身代わりのような人物も死んで、主人公が生き延びる点など、多くの共通点があります。

サルトルの小説は、彼の哲学を知らないと理解しにくい面があります。特に代表的な長篇小説『嘔吐』などは、よほど彼の哲学に馴染みのある人以外には、理解できないでしょう。主人公の語りにすっかり呑まれてしまう危険性を孕んでいるからです。自分が存在していることの気持ち悪さに気づいた主人公が、自分の存在に違和感を抱くのですが、死後

の自分の遺骨を想像して嫌悪感を抱くという主人公の語りは、正直言って危ないものです。たとえば『嘔吐』にはこのような一節があります。

火曜日
書くことは何もない。存在した。

サルトル『嘔吐』鈴木道彦訳

存在することの気持ち悪さ。恐怖。それをサルトルは小説で追究したのです。サルトルほどストレートに描いてはいませんが、「眠り」の語り手（私）も死の観想を通じて、同じような恐怖を抱きます。彼女は、死後にも自身の精神が存在し続ける可能性に恐怖を感じているのです。

死とは、眠りなんかとはまったく違った種類の状況なのではないのだろうか――それはあるいは私が今見ているような果てしなく深い覚醒した暗闇であるかもしれないのだ。死とはそういう暗黒の中で永遠に覚醒しつづけていることであるかもしれないのだ。
でもそれじゃあまりにもひどすぎる、と私は思う。もし死という状況が休息でないとしたら、我々のこの疲弊に満ちた不完全な生にいったいどんな救いがあるというのか？　でも結局のところ、死がどういうものかなんて誰にもわかりはしないのだ。

村上春樹「眠り」『TVピープル』

見てきたように「眠り」と『嘔吐』の語り手（私）に共通するのは、死そのものの恐怖というよりは、死後にも自分が存在し続けることへの嫌悪感です。それは死の不条理というよりは、知らぬ間に生が始まっていたことへの異議申し立てのようなものでしょう。

村上春樹は一貫して死を描いている

デビュー翌年に発表された村上の短篇小説「中国行きのスロウ・ボート」（初出1980年）を探ってみても、作者は一貫して「死」の一点を注視し、そこから湧き上がるイマジネーションで物語を編んでいることがわかります。

この作品では、主人公が野球の試合中に、バスケットボールのゴール・ポストに激突し、脳震盪（のうしんとう）を起こしたまま「大丈夫、埃（ほこり）さえ払えばまだ食べられる」といううわ言を言います。

「大丈夫、埃さえ払えばまだ食べられる」

そしてそのことばを頭にとどめながら、僕は僕という一人の人間の存在と、僕という一人の人間が辿らねばならぬ道について考えてみる。そしてそのような思考が当然到達するはずの一点――死、について考えてみる。死について考えることは、少なくとも僕にとっては、ひどく漠然とした作業だ。

村上春樹「中国行きのスロウ・ボート」

この作品では、死後の世界を異国のイメージに重ね、日常から死後の世界への航海を中国行きのスロウ・ボート（船足の遅い船）にたとえていますが、国際化した現在の日本において、このメタファーは古めかしいものになってしまいました。

片や、先に挙げた「眠り」は不眠（不穏な予感）、高速道路（死の世界に向かう橋のイメージ）、港（海＝死の世界に向かうための停留）、という普遍性の高いメタファーを使っているため、いま読んでもライブ感に満ちた作品だといえます。高速道路が異界との越境の比喩になっていますが、これは『１Ｑ８４』（２００９年）でも同様です。

村上の描く死生観には、多分にセルフパロディ的な側面があります。現世とは違う世界に「死」を設定し、日常（料理や体を鍛える場面などが多い）と対比させます。死の世界と日常の間に、非日常的な体験（不眠、旅、失踪、身体的な変化）や〝次元のズレ〟が現われたような場所を置いて、それらの間の往来の経緯を仔細に描くことで、彼の多くの作品が成立します。それが村上作品の常套手段ですが、そこから外れた、いわば定番以外の死生観にはハッとさせられることがあります。思わぬところから死の本質を射抜く、スナイパーのような本領が発揮されるのです。特に、明らかに異彩を放っているのが、短篇小説「7番目の男」(『レキシントンの幽霊』)だと思います。

漱石の死生観を上書きする村上文学

「7番目の男」が際立っているのは、夏目漱石の『こころ』へのオマージュであり、同時に明らかな反論でもあるということです。なお、村上は『こころ』について、「あの登場人物がみんな何を考えているのか、さっぱりわけが分からなくて、感動できませんでした」と述べています(「村上春樹 期間限定公式サイト 村上さんのところ」2015年1月~5月)。それを前提として、「7番目の男」と『こころ』を比較すると、両作品の共通点が見つかります。

第一に登場人物が、「主人公(『こころ』では先生)」と「Kという名の友人」という点。語り手としての第三者がいる点も同じです。「7番目の男」の主人公とKの力関係を見ると、学校内の評価においても経済的にも主人公が優位にあるようですが、主人公はKの顔立ちの美しさや絵の才能に秘かに嫉妬しているようです。この憐(あわれ)みと嫉(そね)みが混ざり合う微妙なバランスも『こころ』と似ています。過去の出来事を回想する物語の進行も同じです。「7番目の男」の主人公が長年抱えていた「トラウマ的な出来事」は、以下のようなものでした。10歳のころ、海岸沿いに住んでいた主人公は、自分がいま台風の目の中にいることの「静けさ」を珍しく思い、海岸に散歩に出かけます。その途中で友人のKに遭遇し、二人で浜辺に降ります。しかし、静かに見えた海は、台風によって変則的な波を作り出し、あっという間にKだけを巨大な波の中に巻き込んでしまいます。実は、Kが波に飲み込まれる直前、主人公は「Kを助けられなくもない微妙な場所」に立ってました。しかし、主人公は恐怖心に負けて、自分だけが防波堤に走って逃げ、Kに大声で波の存在を知らせた時には、もうKの背後に高波が迫っていて助けられなかったのです。

ここまでならば、反「走れメロス」のシンプルな寓話としても読むことができます。ところが、ここから話は奇妙に変質します。主人公は第二波の高波の先端に、先ほど波にさらわれたばかりのKの姿を見るのです。

ほんの一瞬のことですが、波は崩れかけたままの格好で、そこにぴたりと停止したのです。そして私はその先端の波がしらの中に、その透明で残忍な舌の中に、Kの姿をはっきりと認めたのです。

あるいはみなさんには、私の申し上げることを信じていただけないかもしれません。それはたぶん仕方のないことでしょう。どうしてそんなことが起こったのか、正直に申し上げまして、私自身にさえ今でもうまく納得できないのです。もちろん説明もできません。しかしそれは幻でも錯覚でもありません。嘘偽りなく実際にそのとき起こったことなのです。その波の先端の部分に、まるで透明なカプセルに閉じこめられたように、Ｋの体がぽっかりと横向けに浮かんでいたのです。それだけではありません。Ｋは私に向かってそこから笑いかけていたのです。

村上春樹「7番目の男」

Ｋの口は文字どおり耳まで裂けるくらい、大きくにやりと開かれていました。そして冷たく凍った一対のまなざしが、じっと私に向けられていました。彼はその右手を私の方に差し出していました。まるで私の手を摑んでそちらの世界にひきずりこもうとするかのように。しかしほんの僅かに、彼の手は私を捉えることができませんでした。それからもう一度、Ｋはもっと大きく口を開いて笑いました。

同

ここでの「波」は、死と、その恐怖のわかりやすいメタファーでもありますが、同時に漱石の『こころ』へのオマージュでもあると私は思います。『こころ』には、「先生」とその友人の「K」が海岸の岩場で遊んでいるうちに、「K」が「先生」に自分の命を託すというような会話のエピソードが出てきます。『こころ』は一種の失恋物語と読まれがちですが、このシーンにおける心の機微こそが作品の本質なのです。

美学なんていらない、グズグズ生きろ！

「先生」の長い語りに隠されてなかなか見えてこない『こころ』の実存的な問題を、村上がこの作品で明らかにしているように思います。『こころ』の「先生」に自殺ではなく生きることを選ばせる——そのような文学的ウルトラCをやってのけたのが、「7番目の男」なのではないでしょうか。

7番目の男（主人公）は故郷を離れ、死んだように生きながらも、自殺をせずに長い年月を経ます（この時点で55歳）。やがて、彼はKが描いた風景画を通じてKと心の中で邂逅（かいこう）を果たし、自分自身とも和解します。ここに確かに、漱石の『こころ』を超えた領域があるように思います。

生き残った者が、その鬱屈したグレーゾーンにいるまま生き延びることで、生と死に隔てられた友情すらも優しく溶け合う世界、それが村上の出した答えでした。自殺を選択した『こころ』の「先生」のほうは、思春期に読めば何だかヒロイックに映りますが、やはりそれは感傷に過ぎず、旧時代の遺物と見るべきでしょう。生者からすれば、死は美しく見えるものです。私の乏しい人生経験を振り返っても、そのように感じるのですから。

それとは違い、村上文学は「グズグズした生」を肯定します。そこに一種の冗漫さを感じるとすれば、彼が自決の美学を否定し、つまらなくても「保留した生」を選び続けることに重きを置いているからです。彼の小説の主人公たちに通底する「グダグダな生き方」こそが、実は多くの読者の死生観を知らないうちに上書きし、読者を救っているように思うのです。

『猫を棄てる　父親について語るとき』について

村上はどうして「死」を繰り返し描くのか。それは神秘性を帯びた謎でもありました。

しかし、2020年の春、村上は彼としては異例の「ファミリー・ヒストリー」本を出版することによって、自らの手の内を明らかにしたようなところがあります。この書籍を読む限りにおいて、村上の死生観に影響を与えたのは、僧侶だった祖父の事故死ではないかと感じられます。

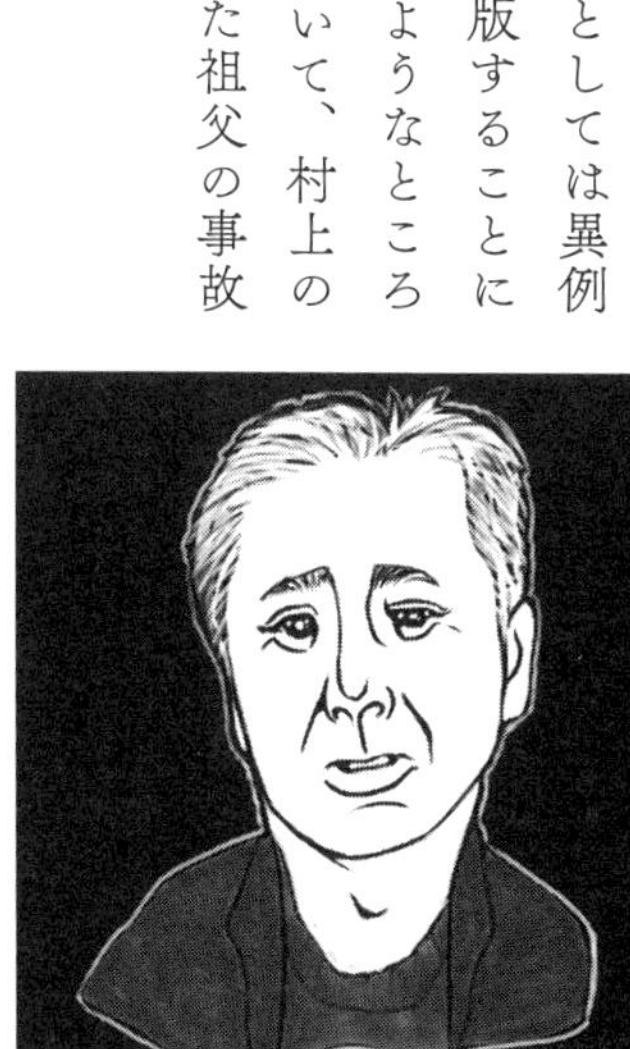

村上春樹

名前の通り弁も立ち、僧侶としてはそれなりに有能な人であり、人望もあったらしい。僕の覚えている限りでは、一見して豪放磊落、一種カリスマ的な要素を持ち合わせていた。大きなよくとおる声で話していたことを記憶している。

彼は六人の息子をもうけ（女子は一人もいなかった）、元気よく人生を生きてきたが、1958年8月25日の朝、8時50分頃に京都（御陵）と大津を結ぶ京津線の山田踏切りを横断しようとして、電車にはねられて死んだ。

村上春樹『猫を棄てる　父親について語るとき』

彼の祖父（村上弁識）の死は不条理としかいいようがありません。また、彼は猫の死生に関する不可解なエピソードを二つ挙げていて、それらが村上の死生観に深く関わっているようです。彼は本書の最終章で、結論として「偶然」というキーワードを出しています。

我々は結局のところ、偶然がたまたま生んだひとつの事実を、唯一無二の事実とみなして生きているだけのことなのではあるまいか。

同

やはり、村上春樹の文学とサルトルの文学は、皮肉な偶然が人間の生死を決定するという点において、多分に重なるところがあるようです。

コラム

ユングを越えて　村上春樹「謝肉祭」

ペルソナ理論が主題か？　と思いきや……

2020年の夏に発刊された村上春樹の短篇集『一人称単数』は、一見すると初期作品への回帰を思わせます。テーマは相変わらず「恋愛」「死」「音楽」といったお馴染みのものですが、過去の作品には見られなかった要素がいくつか加わっています。

「謝肉祭」は、主人公の既婚男性が容貌の美しくない女性とクラシックコンサートで出会い、ドイツロマン派の作曲家シューマン（1810〜56）のピアノ曲《謝肉祭（カルナヴァル）》に関して見解が一致することで、二人が友人関係になるところから物語が始まります。

個性的な美しい女性と主人公が出会って恋仲になるのが村上作品の定番でしたが、「謝肉祭」では、美しくない女性を登場させています。しかも、どのように美しくないかを微に入り細をうがって説明するというしつこさ。これは村上の新境地を示しているようです。

作品のテーマは単なる「ボーイ・ミーツ・ガール」ではなく、ユングのペルソナ（個人が社会との関係の中で、自覚している自分の役割、仮面）ではないでしょうか。主人公と女性を結びつけたピアノ曲のタイトル《謝肉祭》とは、カトリック系のヨーロッパ諸国で行なわれるカーニバルのことをいい、そこでは仮面をかぶる風習があるからです。それは、この短篇の主題がペルソナであることを示唆しています。

主人公は、この女性の美しいとはいえない容貌にむしろ惹かれているようにも見えますが、彼女の仮面（ペルソナ）の裏側に潜むものへの不安から関係を発展させることはありません。主人公の妻は、夫と彼女の間に間違い（不倫）が生じることはないと安心しています。それは相手の容貌から判断しているのです。

主人公は女性との関係について次のように述懐します。

僕は彼女のことをある意味では魅力的な女性だと思っていたが、彼女と性的な関係を持ちたいとはとくに考えなかった。そういう意味では、僕の妻の判断は正しかった。しかし僕が彼女と性的な関係を持たなかったのは、なにも彼女が醜かったからではない。彼女の醜さ自体は、我々が肉体的な関係を持つ妨げにはたぶんならなかっただろうと思う。僕が彼女と寝なかったのは——というか、実際にそういう気持ちになれなかったのは——その仮面の美醜よりはむしろ、仮面の奥に用意されているものを目にすることを恐れたからかもしれない。それが悪霊の顔であれ、天使の顔であれ。

村上春樹「謝肉祭」

相手の女性は主人公にこう語ります。

「私たちは誰しも、多かれ少なかれ仮面をかぶって生きている。まったく仮面をかぶらずにこの熾烈な世界を生きていくことはとてもできないから。悪霊の仮面の下には天使の素顔があり、天使の仮面の下には悪霊の素顔がある。どちらか一方だけということはあり得ない。それが私たちなのよ」

同

ユングが解くゲーテ『ファウスト』

彼女の言葉が意味するところはどういうものでしょうか。また、この新作で、村上がこれまでとは毛色の違う〝ヒロイン〟を設定した理由は何なのでしょう。

まず、彼女のセリフについては、個人が対社会に向ける仮面の下には抑圧された無意識の領

カーニバル用の仮面

域があって、それが「影」となることを指していると考えられます。『ジキル博士とハイド氏』の二面性を想定すればよいでしょう。

この「影」の中に、悪魔として描かれるような大きなものが存在しうることは、他の村上作品でもしばしば主題となっています。『ねじまき鳥クロニクル』のヒロインの兄「綿矢ノボル」はその典型であるといえます。

しかし、それとは別に、アニマ（男性の無意識に潜む女性像）、アニムス（女性の無意識に潜む男性像）という元型もあり、「謝肉祭」ではそちらも気になります。ユングによれば、男性が女性を好きになるのは、自分の無意識に潜む女性像（アニマ）を相手の女性に重ね合わせているということになります。

影とアニマ、アニムスの関係ついては、ユングが『夢分析』で挙げていた『ファウスト』の事例が参考になります。

……ゲーテを人間として捉えれば、その一つの部分がファウストで、もう一つの部分が悪魔、典型的な影です。ファウストはゲーテの意識的野望の、壮大で英雄的な、理想化された人格化です。メフィストーフェレスは彼のすべての欠点および欠落部分、知性の否定的側面、暗い部分、影の人格化です。しかしこれはアニムスともアニマとも無関係です。ただ、あなたがゲーテの夢を見れば、彼はアニムス像としてあなたの内面の無意識的なゲーテ博士の人格化として機能します。

C・G・ユング『夢分析Ⅰ』入江良平訳

手がかりにはなるが、克服すべきユング理論

こうしたユングの理論を借りるとすれば、「謝肉祭」の主人公は〝ヒロイン〟の影の部分を早い段階から察知していて、彼女を自身の内面のアニマ像（無意識の中の女性像）に重ねているからこそ、惹かれていたということになります。

しかし、ストーリーはそれほど単純ではありません。彼女は個性的で、美人とは言えないものの、高級な洋服やジュエリーをうまく着こなし、教養も高く、確かに魅力的な人物であり、謎めいたところもある。しかし、物語の後半になると、彼女の内面は得体の知れない〝モンスター〟であった、ということがある程度明らかになるのです。

彼女の存在を、ユング心理学で半ば強引に分類するとすれば、豊穣をもたらすが相手を呑み込んでしまう闇の側面も併せ持つ「グレートマザー」ということになろうかと思います。しかし、「謝肉祭」のヒロインは、それには収まりきらない複雑さを抱えていて、特定の理論では捉えられないでしょう。ペルソナ理論をベースにした作品であると思わせておいて、それを覆す、従来のムラカミ・ワールドの殻を破った記念碑のような作品なのです。

村上は、ユング心理学では分析も類型化も不可能な〝ヒロイン〟を登場させることで、過去の作品や過去の登場人物、さらに彼自身からも脱しようと試みたのではないでしょうか。そもそも、人間の無意識を類型化すること自体、非科学的な側面が多分にあるのですから。ユングの理論は、文学作品を分析する場合に、興味深い論点を提供してくれますが、人間という存在を追究する際、最終的な論拠として立てるには弱いのです。

村上はユング研究者・河合隼雄との蜜月を経由し、ユング理論から卒業したと考えられます。彼は70歳にして進化を続けるトップランナーだといえるでしょう。だからこそ読者は、「やれやれ」と呟きながらも、彼の作品を追いかけずにはいられないのです。

メフィストの呟き

「謝肉祭」は村上春樹の新しい境地を示しているようだ。「謝肉祭」の〝ヒロイン〟は心理分析不能であって、物語を最後まで読んでも、どのような人物であったのか、よくわからない。異物を飲み込んだ時のような感触が残る。カテゴライズできないキャラクターこそが、現代文学の主流になるのではないか？　そうした人物を「キャラクター」と呼ぶのは不適切かもしれない。わかりやすいキャラには飽き飽きしてたところだ。

この底の見えない深淵のような〝ヒロイン〟を『ダンス・ダンス・ダンス』の「五反田くん」と比較してみるとよい。五反田くんは、ユング理論にピッタリなわかりやすいキャラだ。彼はとてつもなくイケメンで、心の中には悪魔が潜んでいた……という、よくあるパターンだ。彼は和製ドリアン・グレイといっていい。

第4章

ドッペルゲンガー（分身）をめぐる死の文学

——芥川、ドストエフスキー、ワイルド、ポー

『ダンス・ダンス・ダンス』のキャラクターの造型にも影響を与えた『ドリアン・グレイの肖像』の主人公は魅力的な人物だ。彼を見ていると我が叔父ルシファーを思い出す。長い睫毛の下の瞳はカルデラ湖のようで、スーツを着こなし、天使だったころのピュアさも残している。会った人間は必ずメロメロになってしまう。

ルシファーほどではないが、ドリアン・グレイも会った人をみなトリコにしてしまう。欲望のままに生きても容姿がピュアなままなんだ。まさに人間界の堕天使だ。

私のドッペルゲンガーが現れた

7年前のことでした。当時、大学の非常勤講師を掛け持ちしていた私は、目の回るような忙しさに疲れ果てていました。そこで私が思いついたのが、睡眠をコマ切れにすることでした。午前0時に眠って午前2時に起き、それから明け方まで原稿に向かい、朝食前にまた少し眠る。そんな生活が続いたある日の朝、ついに気絶して顔から床にダイブしてしまいました。なんとか回復した数時間後に自宅を出たのですが、大学に着くと二人の学生が「先生（内藤）にそっくりな人を電車の中で見た、何度見ても本人かと思ったが、様子が変だった」と騒いでいました。なにかの見間違いだろうと最初は信じていなかったのですが、目撃したという場所には思い当たる節がありました。それは前職（似顔絵師）の時にいつも乗っていた路線の電車内だったのです。

にわかには信じがたいことですが、それが学生たちの錯覚ではないとすれば、ドッペルゲンガー（ある人物と瓜二つの人物、「分身」のドイツ語）の出現、ということになるでしょう。

「ドッペルゲンガー」に相当する言葉は、世界中の言語にあり、その定義はまちまちです。辞書的には「自己像幻視」となりますが、世界中に点在する事例の中には、まったく違うパターンも混在しています。私の体験の場合も、第三者による目撃のため、自己像幻視には当てはまりません。私自身の健康状態は、生活パターンを変えることで日常に戻りましたが、第三者に分身を目撃されたころの、異次元に片足を突っ込んだような奇妙な感覚が、今でも忘れられません。

では、こうした個人的な体験も含めたドッペルゲンガー（分身）の出現は、死生の問題とどう関わり、文学の世界ではどう描かれているのでしょうか。

神経衰弱による幻覚——芥川龍之介のドッペルゲンガー

芥川龍之介は、神経衰弱の末にドッペルゲンガーを目撃し、短篇小説「二つの手紙」を書いています（初出は1917年）。芥川は二度の自己像幻視体験をしたのですが、小説では三度という設定になっています。以下、その内容を見ていきましょう。

主人公は倫理学と英語の教師、佐々木という名の男性ですが、晩年の芥川作品は私小説に近いため、作家本人と重ね合わせて読んでもよいと思います。

作中で、主人公の佐々木は自分の分身をこのように目撃します。

第二の私は、第一の私と同じ羽織を着て居りました。第一の私と同じ袴を穿いて居りました。そうしてまた、第一の私と、同じ姿勢を装って居りました。もしそれがこちらを向いたとしたならば、恐らくその顔もまた、私と同じだった事でございましょう。私はその時の私の心もちを、何と形容していいかわかりません。

芥川龍之介「二つの手紙」

この場合のドッペルゲンガーは、「第二の私は丁度硝子に亀裂の入るような早さで、見る間に私の眼界から消え去ってしまいました」との鮮烈な描写があることからも、主人公が見た幻覚のように思われます。主人公はその後も分身を目撃しており、二回目は「妻の分身と私の分身が仲睦じく街中に立っている」、三回目は「家の中で妻と私の分身が、私の日記を読んでいた」というものです。最後には「妻のようにヒステリカルな素質のある女には、殊にこう云う奇怪な現象が起り易い」「夢遊病患者の意志によって、ドッペルゲンゲルが現れる」という主人公なりの結論を出すのですが、自身の狂気を妻に責任転嫁しているようにも感じられ、どこからどこまでが事実なのかモヤに包まれるような気分になります。

読み手によっては、すべてが事実とも、「私」の妄想だとも読めますし、あるいは事実と妄想が入り混じったものとも読めるのです。読み手によって顔が異なるロールシャッハ・テストのような作品といえるでしょう。

ユング理論でドッペルゲンガーを読み解く

このドッペルゲンガーを理論的に考えるためには、どのような手がかりがあるのでしょうか。ここでも、まずはユングに登場を願いましょう。

ドッペルゲンガーは、科学では説明不可能な摩訶不思議な現象ですが、仮説として有効と思えるのは、無意識や神秘、オカルトをも研究対象とする心理学者ユングの「シャドウ」とその「投影」の理論です。まず、シャドウの概念を理解するには「元型の概念」を、さらにそれを包括する「集合的無意識」も理解する必要があり、遠回りになりますが、焦らずに確認していきましょう。

ユングの集合的無意識とは、普遍的かつ超個人的な無意識のことを指します。人間であれば誰もが等しく備えているであろうとユングが考えるものです。物質主義的な現代人にとって、「個人を超えた無意識が存在する、それが意識までコントロールする力がある」などと言われても、科学的ではないと敬遠したくなるかもしれません。

とはいえ、今回取り上げる文学作品を読み解くうえでは、ひとまずそこを起点にしましょう。

集合的無意識には、「元型」という概念がいくつも存在するとされています。ユングにおける「元型」とは、イメージの源泉であり、人の集合的無意識の中に先在している普遍的な型を指します。「老賢者」など、特定のイメージを持つ場合もあります。その型が個人の枠組みを超えた集合的無意識から個人の意識上に上がってくる時に、特別な強い意味を持つとされるのです。それをふまえたうえで考えるとすれば、シャドウもこの

ユングのシャドウ

「元型」の中の一種類です。他にも元型はいろいろありますが、手っ取り早く私たちが意識的に察知できる元型がシャドウです。このユングの説を、もう少しわかりやすく説明しましょう。

突然ですが、あなたは嫌いな同性がいますか？　すぐに思い浮かべることができるとすれば、それがシャドウを探る手がかりになります。たとえば、「自分は社交的で友人が多く、誰からも愛される好人物（俗にいう「リア充」）」を自認している人物Aがいたとしましょう。人物Aは、「孤独なくせに妙に充足感を得ているような人物B」を毛嫌いしているとします。その場合、人物Aは無意識の中に、人物Bに似た性質をシャドウとして持っているのです。つまり人物Aが認めたくない自身の「ある側面＝シャドウ（無意識）」を、実在の人物Bに重ね合わせる（投影といいます）ことで、人物Bを嫌う（意識的に嫌う）、という流れになります。誰しも、「無意識の中の嫌いな自分」を眼前に持ってこられたら避けたくもなるでしょう。相手は自分の無意識を投影した存在なのですから、避けようとすればするほどそれは追ってくる、というわけです。

この「シャドウ」の概念をエンターテインメント作品に反映させたのがゲームソフト『ペルソナ5』（アトラス、2016年）です。このゲームは個人の無意識を宮殿（パレス）として描き、その中に潜むシャドウを倒し、時には懐柔して主人公（プレイヤー）の力とします。パレスの中では、キャラクターに「瓜二つの姿」でシャドウが描かれることもありますが、基本的には、神話や民話の中に出てくる「悪魔の姿」として出現します。人類に共通するシャドウを「悪魔」として描くことで、集合的無意識の中に普遍的なシャドウの形があることを示しているのです。

このゲームの中の「シャドウをコントロールすると自身（プレイヤー）のパワーアップにつながる」というルールも、ユング心理学に通じるものです。「あいつはなんとなく嫌いだな」という状態から一歩進めて「なぜ嫌いなのだろう」と疑問を投げかけ、最終的にはシャドウの存在を認める（無意識から意識に上げる）ことで精神的な成長が望めるからです。

では、ここで、前述の人物Aが人物B（影）を嫌い続けると仮定してみましょう。すると、無意識の力は思ったよりも甚大で、シャドウは一生つきまとうことになります。それは悪夢として繰り返し現われたり、強迫的な衝動につながったり、あるいは分身が目の前に出現したりします。自身の内側（シャドウ）に原因があるのに、延々とそれを他者に投影し、分身に見立てたシャドウと攻防戦を繰り広げることになる――ユング理論を借りれば、それこそがドッペルゲンガーという現象の正体だということになります。

ドストエフスキーの『分身』

これらのユングの理論をふまえたうえで、ロシアの文豪ドストエフスキーがドッペルゲンガーというテーマに挑んだ小説『分身（二重人格）』を読んでみると、それが文学的なだけではなく、心理学的にも実によく練られた作品であることがわかります。

主人公ゴリャートキン（下級の役人）が恩人の娘に失恋をしたことにより、深い失意におちいり、分身（シャドウ）を見るようになります。シャドウは同姓同名で顔もそっくりな人物（新ゴリャートキン）として登場し、主人公の立場をおびやかします。そして、「瓜二つの人物が主人公の前に偶然出現したのか？」と、いったんは読者に思わせます。が、この小説が面白いのは、主人公が自分の「そっくりさん」だと思っていた人物が、実はそうではなく、似ても似つかぬ人物だったという点にあります。つまり主人公ゴリャートキンの「投影」により、新ゴリャートキンという人間が、あたかも彼にそっくりな人物として実在しているかのように描写されている……というのが作品のキモです。

例の人物ですらいまではどうやらゴリャートキン氏にとってはまったく有害邪悪な人間ではなく、また双生児（ふたご）の片割れでさえもなく、まったくなんの関係もない局外者で、実はき

ドストエフスキー（1821～1881）

わめて愛想のよい人間のように思われた――。

ドストエフスキー『二重人格』小沼文彦訳

※他の翻訳では『分身』というタイトル表記だが、岩波文庫版では『二重人格』（原題は『ドッペルゲンガー』）

「自分とは何なのか」が見えていなかったからこそ、ゴリャートキンは、自分とはまったく似ていない人物を自分の双子のような存在に見立てていたわけですが、そこには社会的な背景が隠されています。

子が親の価値観（階級的、民族的、宗教的）を継承していた時代には、職業選択など個人としての自由は制限されていましたが、アイデンティティを確立することは現代人より容易なことでした。対して、近代以降はそれが難しくなっています。歯車の一つにされてしまうような社会や組織の中で、人は取り替え可能なパーツとして働かねばならず、同時に人間的魅力を持ち、周囲に愛されることも求められる。あまりにも難易度の高い「人生ゲーム」に参加させられるがゆえに、自分に割り振られた能力値を見失ったうえに、まったく関係のない「他のキャラクター」を「自分のコピー」だと誤認してしまう。現代人は誰しもゴリャートキン氏を笑えません。少なからず彼のような自己誤認を抱えたまま社会を生きざるをえないからです。

この小説は、刊行当時はあまり評価されませんでしたが、複雑な社会背景とそれに伴う個人の精神病理を喜劇調の物語に昇華させたドストエフスキーには、先見の明があったのです。

《嗤う分身》に見られるヴェイパーウェイブ風味

ドストエフスキーの『分身』は、《嗤う分身》（イギリス・監督リチャード・アイオアディ、2013年）として映画化されていて、ドストエフスキーを下地にしながらも、独自のドッペルゲンガー観を打ち出しています。映画の舞台となる「過去か未来かわからないSF的な世界」は、第3章で取り上げた「ヴェイパーウェイブの世界の空気感」と重なりますが、ドストエフスキーが描いたロシアの貧しい役人の世界を、レトロフューチャーに翻案したものとも解釈できます。

また、そんな世界を舞台に、ドッペルゲンガーと主人公との関係が親密になったり、裏切られたりして、主人公の感情が揺れ動くシーンには、日本の昭和歌謡が流れるのがこの映画の大きな特徴になっています。この音楽体験は、全身を揺さぶられるようなまったく新しいものだと思います。というのも、イギリス映画に日本の昭和歌謡が使用されるのは珍しいことであり、欧米の若者にとっては「知らない音楽なのに懐かしい気分になる」日本の昭和歌謡は、異化作用と擬似的なデジャブを引き起こすのかもしれません。それは、よく知っている自分の顔なのに、内面は馴染みのない人物が出現するというドッペルゲンガーの現象を表現するのに、膝を打つほどにぴったりとハマるのです。

さらに映画版では、原作のラストを大幅に改変しています。ドストエフスキーの『分身』では、主人公は分身に敗北して社会から追放されますが、映画では、主人公が分身の裏をかいて出し抜きます。映画版の主人公は、自身の身体と分身の身体が奇妙に連動している（主人公が負傷すると分身も同じ箇所を負傷し、その逆もしかり）のに気づき、分身を欺くプランを思いつきます。主人公は、分身を身動きできないように仕向けて、自分は助かるような形で飛び降り自殺をします。自分だけが救急救命にあずかり、分身はそのまま落命するように仕向けるのです。劇中、最終的に主人公の試みが成功したかどうかは描かれていませんが、主人公は少なく

オスカー・ワイルド（1854～1900）

とも、無残な敗北だけは逃れています。

この映画のアイデアには、なんとなく既視感も覚えます。アイルランドの作家オスカー・ワイルド（1854〜1900）の『ドリアン・グレイの肖像』のラストが援用されているからです。つまり、映画《嗤う分身》は、『分身』を原作にしながらも、最終的にはワイルドのドッペルゲンガーのアイデアを借用することによって、主人公が分身に打ち克つという新しい物語を編み出したと考えられるのです。

ワイルドとポーの分身物語

『ドリアン・グレイの肖像』の主人公の美青年、ドリアン・グレイは、年上の悪い男に「官能主義的に生きること」をそそのかされ、

『ドリアン・グレイの肖像』における反転と再反転

堕落した人生を送ることになります。

しかし、グレイは物語の中盤で奇妙な現象に見舞われます。彼の堕落した生活の影響は、外見にはまったく現われず、本人は驚くべき若さと美しさを保ち続けます。しかも、まるでその代償のように彼の肖像画だけが醜く変貌するのです。物語が進行するにつれ、肖像画を描いた画家はこの奇妙な現象に驚き、グレイを執拗に問い詰めます。すると、ついにグレイは画家を殺してしまうのですが、それだけに留まりません。グレイは自身の魂が実は絵に移っており、グレイのほうこそが、絵画作品の影の存在になっていた（反転）ということに気がつき、肖像画のグレイを〝殺す〟ことで自身の過去の罪をすべて消してしまおうとします。

ナイフはきらりと輝いていた。画家を殺したときと同じように、その画家が描いた絵を、その絵が持つすべての意味と共に殺すのだ。過去を殺してしまえ。過去が死ねば彼は自由だ。このいまわしい魂が死ねば、おそろしい警告がなくなれば、彼は平和を取り戻せる。彼はナイフをつかむと、肖像画に突き刺した。悲鳴が聞こえ、続いて何かがぶつかる音がした。

オスカー・ワイルド『ドリアン・グレイの肖像』仁木めぐみ訳

しかし、シャドウになっていたグレイが、「本体」に転化した肖像画を傷つけたら、グレイ自身が死にいたることは避けられません。実際に、肖像画をナイフで傷つけたグレイが落命するという再反転が起こったところで、この物語は完結します。

19世紀のアメリカ作家エドガー・アラン・ポーの短篇小説「ウィリアム・ウィルソン」も、仮面舞踏会に参加し、そこで仮面をかぶったもう一人の自分を殺してしまう分身小説です。

エドガー・アラン・ポー（1809～1849）

ポーの原作短篇はそこで終わりますが、映画化されたオムニバス映画《世にも怪奇な物語》の中の「影を殺した男」（監督ルイ・マル、1967年）では、明らかに『ドリアン・グレイの肖像』のラストと思われる「再反転」が、まるで取ってつけたように加えられています。

分身をシャドウだと思っていたら、実は自分こそが分身のシャドウにすぎず、分身を殺すことは自分を殺すことになるというオチは、どこかドッペルゲンガーという現象の本質をついています。だからこそ「ウィリアム・ウィルソン」を映画化する際に、そのような要素が、あえて追加されたのでしょう。

壮大なドッペルゲンガー物語《ツイン・ピークス　The Return》

次に、ドッペルゲンガーをテーマに、壮大な多次元のドラマを描き出した映像作品を紹介します。2017年のアメリカのテレビドラマ《ツイン・ピークス The Return》（製作総指揮・デヴィッド・リンチ、マーク・フロスト）です。

このドラマの劇中には、主人公の分身が三体いて、総計4タイプの〝主人公〟が登場します。本作は、1990年から91年にかけて放映された旧シリーズ《ツイン・ピークス》の主人公が、異次元（赤い部屋）に閉じ込められているうちに、彼のドッペルゲンガーが悪の限りを尽くしていたという設定が前段階にあります。主人公はその分身を倒すために多次元を往来する、という壮大かつ奇妙なドラマです。このドラマは舞台設定も構成も複雑なため、メインテーマが見えにくいのですが、旧作・新作いずれにおいても、「ドッペルゲンガー」というキーワードがセリフの中でことさらに強調されていることが、ヒントになっているのです。

物語全体を通じて、《ツイン・ピークス》は切実なまでの「生の1回性」を伝えます。本作がニーチェの「永遠回帰」をベースにしていることは、拙著『「死」の哲学入門』でも指摘しましたが、永遠回帰にドッペルゲンガーを絡ませることによって、まったく新しい死生観を打ち出した作品だと思います。

ニーチェは「この同じ人生が何度繰り返すとしても、それを愛する（運命愛）」と説きましたが、《ツイン・ピークス The Return》では、ドッペルゲンガーを援用することで「永遠回帰があったとしても、二度と同じ物語は生まれることがない」というメッセージを発したのではないでしょうか。なぜなら、主人公は分身にいったん勝利しますが、勝利をおさめたかのように思われた主人公の人格自体も無情のものだった、という悲しいラストシーンが鑑賞者を容赦なく突き放すからです。誰しもが好ましいと思えるような旧作の主人公の魂が、新作では二転三転し、分身との決着をつけて元に戻ったかと思いきや、また違った種類のシャドウが彼をコントロールしているように見受けられます。光と影の相克は永遠に続くのだと示唆するグレーな結末は、「勝つか、負けるか」からの脱却を示しているといえるでしょう。

こんにゃくから考えるドッペルゲンガー

ここまで来て「ちゃぶ台」をひっくり返すようで申し訳ないのですが、ドッペルゲンガーには、ユングの「シャドウ」と「投影」の理論では説明しきれない逸脱があります。自己像幻視のケース以外、たとえば冒頭に紹介した私（内藤）の「自分の分身が遠隔地で目撃される」パターンに関しては、ユングの理論は当てはまりません。自分が自己の分身＝自己像を見る（自己像幻視）という理論に該当しないからです。

そうなると、ユングの理論で片づけることのできる範囲と、そうでない範囲とを分けて考える必要があるでしょう。

ここからは私の仮説になりますが、ユングやワイルドよりもずっと前に、ドッペルゲンガーに関するなんらかの秘密をつかんでいたと思える人物に思い当たります。

2017年、ある取材で京都の八坂庚申堂（大黒山金剛寺八坂庚申堂）を訪れた際、「こんにゃく祈祷」という奇妙な儀礼に出合いました。その寺のお坊さんに話を聞いてみると、それは浄蔵貴所（891〜964）という平安中期の僧侶・山伏が突如始めたとされる、異形の祈祷方法でした。

それは、こんにゃくの上に名前を書いた人形を貼りつけ、そこに悩みや苦しみを持つ人の苦を背負わせることによって祈祷を受ける人を守る、という珍しいものです。

この話を聞いて真っ先に思い出したのは、『ドリアン・グレイの肖像』です。この小説においては、第三者の目にも「肖像画の変化」があったことから、心理学的な自己像幻視だけでは片づけられない多様なドッペルゲンガー概念の性質を見ることが可能です。この小説の場合、主人公の魂を絵に移行させたマジカルな力は、肖像画を描いた画家の、主人公に対する同性愛的な感情と設定されていましたが、そうした「念」のようなものを僧侶の祈祷の力に置き換えて考えてみましょう。すると、こんにゃくを人の肉体に見立て、こんにゃくの側に苦を背負わせることで（グレイの肖像画の役割）、祈祷を受けた人はまるでグレイが放蕩にも拘わらず若さと美貌を保ったように、ノーダメージで過ごせるということになります。

それにしても、浄蔵はなぜこの方法を思いついたのでしょう。彼は山での修行中に、なにかの拍子で己にひそむ「影」のようなものの存在や、「意識と肉体のズレ」に気づいたのではないでしょうか。登山中にドッペルゲンガーに遭遇するケースは、世界中でよく耳にするエピソードです。浄蔵が山伏であったという点が示唆的です。こんにゃく祈祷は、これまで見てきた文学、映像作品、心理学の知識を総動員すれば、その仕組みの一端を察することができそうです。しかし、それだけではおそらく不十分です。

そこで、「ドッペルゲンガーは心理学的な投影だけではなく、宇宙のバグのようなものではないか？」という視点からも考えてみましょう。

ブルーノの「無限宇宙」にはもう一人の私がいる

拙著『「死」の哲学入門』では、イタリアの修道士ジョルダーノ・ブルーノの多元宇宙論的な死生観を取り上げました。ブルーノの思想は、多元的な宇宙の中には「私たちと同じ宇宙が存在する」という、途方もない「無限＝神」のイメージをベースにしています。そして、そのイメージは、現代の科学の力をもってしても「笑い話」とは否定できないものでした。

　とすれば、私たちと同じような顔かたちの人間が、別の宇宙、別の次元にも存在するということです。もしブルーノのいうような「無限の宇宙」があったとして、そこに「もう一人の私」がいるとしたら、「この私」と「もう一人の私」の差はどこにあるのでしょう。私と彼／彼女（もう一人の私）を分ける「実体」などは、どこにも存在しないのです。ちょっとした決心、ちょっとした偶然の重なりが、「今の私であること」をたまたま決めているだけなのです。

　近代化以前の社会では、多くの人には職業選択の余地すらあまりなかったので、歩むべき道はまっすぐでシンプルなものでした。宗教が運命論的な役割をはたし、人々の心の重しになっていたこともあります。

　ブルーノは異端と判断され、火炙(ひあぶ)りの刑に処されています。彼はひとまずおくとして、基本的に東洋思想にもキリスト教にも、もともと運命論の側面があります。近代における「天職(ベルーフ)」という言葉そのものも、キリスト教の運命論的な性質を反映したものです。

それに比べ、現代に生きる私たちは、誰しも〝可能性の海〟の中で溺れ死ぬような日々を送っています。私が職業を変えたのは、ちょっとした出来事が私の心を変え、その結果として今の自分がいるだけなのです。複雑になった私たちの道は、多重交差のように重なり、それに伴って世界もますます複雑化していきます。それは、精神世界（ユングの集合的無意識）もより複雑なものに変えてしまいます。そこにもし、なんらかのバグが起これば、表層としての物質的な世界にも、ダミーのような分身が形作られることだって、ありうるでしょう。

運命と選択の狭間にある揺らぎのようなもの、それこそがドッペルゲンガーを生み出す不穏な力なのでしょう。そう考えれば、死に近い人間が分身を見るのは、未来において生死を分ける出来事が、過去に遡って空間に共鳴しているようなもので、「第三者の目に見える形としての分身」にも一応の説明はつきます。

このいわゆる「バグのようなもの＝分身」を、逆手に取ってみたらどうでしょう。つまりバグの分身を人為的に作り、そこに厄災を押しつけて死を避けるというトリッキーな手法です。それが「こんにゃく祈祷」の種明かしではないでしょうか。

1000年以上、この祈祷は人々から求められ、脈々と継承されています。それは、欧米とはまったく違う角度からドッペルゲンガーの秘密に達した人物の知恵といえます。

COLUMN

コラム

病にペルソナはあるか　ポー「赤死病の仮面」

王さえ逃れられない死病

エドガー・アラン・ポーの「赤死病の仮面（赤き死の仮面）」（1842年）は、架空の死病を描いた有名な短篇小説です。ストーリーは以下のようなものです。

国王プロスペロは、死病が蔓延し、大多数の国民が死に瀕している酷いありさまを見捨て、自分と取り巻きたちだけは助かろうと城内にシェルターのような要塞を作り、その安全地帯に貴顕を集めて仮面舞踏会を催します。しかし、そこにも死病が紛れ込み、プロスペロ王と仮面舞踏会の参加者たちも感染してしまいます。王とその取り巻きでさえ、死病から逃れることはできないという教訓話のようにも見えますが、今なら、〝三密〟によるクラスターの発生ともいえるでしょう。

感染症を描いた作家はカミュはじめ数多く存在しますが、ポーのユニークさは死病をキャラクター化し、そこに「ペルソナ」と「シャドウ」を設定しているところにあります。

感染症のキャラクターは、長身痩躯、死装束に身を包み、そこに血が飛び散っているという姿で擬人化されているのです。

〔ペルソナの描写〕

その人物は長身痩躯で、頭のてっぺんから爪先まで、経帷子(きょうかたびら)をまとっていたのだ。その表情を覆い隠している仮面は死後硬直の顔そっくりに似せているため、どんなにじっくり観察しても偽装とは気づきにくい。だがこうした出で立ちもすべて、まわりのほうも気の狂(ふ)れたような仮装者たちであるから、受け入れられずとも耐えきれる範囲内であった。ところがこの無言劇役者が限界を踏み外しているのは、「赤き死」の化身を気取っているところにある。その衣装は血にまみれ、広い額及び顔の全面に、恐るべき鮮血が斑点を成していたのだから。

「赤き死の仮面」『黒猫・アッシャー家の崩壊　ポー短篇集ーゴシック編』巽孝之訳

「ペルソナ」と「シャドウ」

〔シャドウの描写〕

……長身の仮装者を掴むやいなや、言いしれぬ恐怖に襲われ、唖然とするばかりであった。というのも、その経帷子と死者をも彷彿とさせる仮面を荒々しくもぎ取ってみれば、その下には何の実体もなかったのだから。

同

病のイメージはどこから来たのか

「赤死病の仮面」の仮面には、わかりやすい病のペルソナがありますが、シャドウには形が何もありません、つかみどころがないのです。本質のなさが本質ということでしょうか。これについては、キリスト教圏の病のイメージがどこから来たのかという問題があります。

キリスト教における死や病のイメージは、もとをたどれば、旧約聖書のアダムとイブの原罪に行き着きます。もともと人間は、楽園で病も死も知らず楽しく暮らしているはずでした。そこにサタンが蛇の姿でそそのかしにやってきて、それによりアダムもイブも善悪を知る木の実を食べてしまいます。そして、人間は楽園から追放されるのです。苦のない楽園から追放されたために、病、死というものが人間の存在と切っても切り離せないものになりました。

つまり、キリスト教のイメージのみで語るとすれば、地上で私たちが病に苦しむのは、アダムとイブによる過失（原罪）が原因ということになります。

それに対して、一般的な日本の病のイメージは多様です。『古事記』の中からイメージを探してみれば、黄泉の国から帰ったイザナギがミソギをしたことによって生まれた厄災の神々が挙げられます。

たとえば、『古事記』の中で国を生んだとされる女神イザナミは、火の神を生んだことで落命し、黄泉の国で夫のイザナギに離縁を言い渡され、憎しみにあふれた様子で人々に死をもたらすと宣言します。一方のイザナギは、黄泉の国から現世に戻り、川でミソギをするのです。そのミソギの最中にそこから生まれた神がヤソマガツヒ、オオマガツヒの二神です。つまり、日本においては、厄災には明確なキャラクターの輪郭があるわけです。そのために、避けたり祀ったりするシステムが可能になるわけです。

日本には、厄災を避けるための具体策、たとえばお祓いや厄除、形代などがあります。それらは、病に明確なイメージがあることの裏返しであり、「こんにゃく祈祷」に使用されるこんにゃくもまた、そのようなシステムの応用なのです。

日本の宗教はなんでもありだ！　悪魔の仲間たちも平気で祀って味方に変えてしまう。厄災を巻き起こす悪しき存在をあえてお祀りして、健康を願うとか……。「こんにゃく祈祷」にも驚いた。ドッペルゲンガーを逆に祈祷に使うなんて、どうして思いついたんだろう。

それと、日本には神の数が多すぎる。台所からトイレまで、ちょっとした神様がいつもちょっとしたパーティを開いている。この前、空を飛んでいたら、デパートの屋上に神社があった！

ユングも、こういう不思議な「東洋思想の宗教世界」に魅せられていたようだ。気持ちはわからなくもない。知れば知るほど一神教の世界にはない発想が湧いてくる。ユングが人の心の中に「悪魔」を発見したのも、東洋思想をイメージソースにしたからだろう。ユングは聖書の読み方も変わっていて、神をどこか擬人化しているようにも思える。でも、ユングの考え方は、キリスト教を信じる人たちには不敬に映っただろう。批判もあった。特に、マルティン・ブーバーは、明確にユングを批判している。ユングの考えだと、神も悪魔も人の心の中にいることになってしまう。なるほど、ユングの思想は、ブーバーから見れば、神との距離感がいくらなんでも近すぎるように思えるのだろう。加えて、ユング

の思想は、正直、いま心理学の現場で役に立つものだとは言えないのではないか。

でも、ユングの思想は文学作品のネタを扱うには便利だと思う。というより、ユングは臨床の経験に加えて、意外と小説のエピソードをヒントにしてシャドウの理論を組み立てていたりするんだ！　もしかして元祖〝考察厨〟か？　あと、ユングの本懐はオカルト分野だな。あれは面白いと思う。特にユング自身の幽霊体験談！

マルティン・ブーバー（1878〜1965）

第5章

被害者が死後に加害者となる奇妙な物語

——ゴーゴリ『外套』

ゴーゴリは風変わりな男だった。若いころから真実を求めて自分の身を顧みないようなところがあった。ちょっとファウスト博士に似ているところもある。

彼は、自分で出版した本を買っては焼いたり、俳優を目指しては挫折したり、世間的な評価を求める心と、真実を求めるパワーの強さの間で苦しんでいた。その結果、奇妙な最期を迎えてしまった。

晩年、彼は作家として信じられないほど成熟していた。それは一人の人間には抱えきれない悪魔的なパワーを含むものだった。

知られざる文豪ゴーゴリ

前章のテーマ「ドッペルゲンガー」に絡む小説をあれこれ読んでみると、ニコライ・ゴーゴリの『外套』が声を上げていることに気づきました。『外套』には、私たちの死生に関する思い込みを、勢いよく蹴飛ばすような鋭さと思わぬ諧謔があります。はたして生が幸福で、死が不幸なのか？　そのようなことを問題提起する力のある怪作、それが『外套』です。生きている人間の愚かさや滑稽さを、死者の側から見て笑っているような奇妙なテイストがあるのです。

ウクライナ生まれのロシアの小説家ゴーゴリは、ドストエフスキーに比べると現代日本での知名度は低いですが、芥川龍之介や、現代作家でもカルト的な人気を誇る後藤明生（1932〜1999）といった奇才に愛された作家です。ロシアでは、彼の特異な文学は世代を超えて支持されています。

その一例として、2017年にはロシア映画《魔界探偵ゴーゴリ 暗黒の騎士と生け贄の美女たち》（監督イゴール・バラノフ、2017年）が公開されています。この映画は三部作のシリーズもので、三作ともDVDやネット配信を通じて日本でも鑑賞することができます。

ゴーゴリ（1809〜1852）

これらは、ゴーゴリのキャラクターのユニークさを手っ取り早く知るのに格好の作品です。

「魔界探偵」というタイトルからもわかるように、映画でのゴーゴリのキャラクターは、実際のプロフィール（ウクライナ生まれ、プーキシンに影響を受けた、本を焼いてしまう癖、公務員としての職歴など）と、フィクション（闇の世界と交信できる等）の混交物になっています。とはいえ、映画のキャラクターとしてのゴーゴリは、作家ゴーゴリの個性を絶妙に表現しています。

映画でのゴーゴリは、生まれた時から闇の世界の住人の力によって生かされているという設定になっています。一方で、映画の中でゴーゴリと恋に落ちるヒロインは、ゴーゴリのことを「神が語るための道具としての作家」と、セリフの中で評するのです。闇の世界に通じた存在でありながら神の代弁者……この矛盾を含む人物設定は、そのままリアルなゴーゴリ像に通じているところがあります。

また、この映画（シリーズ三部作）は、『外套』を理解するうえでの助けになります。特に、当時のロシアの人々の服装や所作などを知るのに便利です。たとえば『外套』の最重要アイテムとなる外套（オーバーコート）について、単に寒冷の国ロシアにおける実用的な意味合いだけではなく、当時の人々にとっては、コートというものが権威や男性性の象徴になっていることも、映画の中から自然に感じとることができます。その感覚を前提にしておかなければ、『外套』が何を伝えようとしているのかつかみにくいでしょう。

アカーキーとは何者か？

『外套』のストーリーは、以下のようなものです。

主人公アカーキー・アカーキエヴィチは、役所勤めの筆耕係（公文書を清書する事務員）。気弱で常に周囲の人々にからかわれて生きています。彼は真面目に職務をまっとうしている

（清書に至上の悦びを見出しているようにも見える）のですが、生活は貧しく、身なりもよいとはいえず、コートまでがボロボロです。

ある日、コートを修繕に出そうとしたアカーキーは、あまりに傷みがひどいので新調するしかなくなります。素寒貧のアカーキーですが、コートの新調に関しては、とんとん拍子に運び、予想外の収入もあって、思った以上に上質で贅沢なコートを手にします。彼は周囲に乗せられて、コートのお披露目会に招かれます。しかしフタを開けてみると、それはただの仲間からの冷やかしだったのです。

問題は、その帰り道の出来事でした。アカーキーは新調したばかりのコートを、口髭を生やし、大きな拳を誇示する二人の男にひっぺがされ、盗られてしまうのです。アカーキーはショックのあまり体調を崩し、そのまま亡くなってしまいます。

凡庸な小説であればここで終わってしまうのですが、『外套』は、ここからが面白くなります。アカーキーは、どういうわけか幽霊になって街頭に立ち、自分が盗まれたコートに似たコートを着た人間を見かけると、同じようにひっぺがしにかかります。とうとう自分の理想に近いコート（高官が着ていたもの）を手に入れた幽霊のアカーキーは、あら不思議、奇妙なことに「身長が高く、立派な口髭を生やしている姿」に大変貌し、攻撃的に大きな拳を振り上げる幽霊になるのでした。それはまるでアカーキーのコートを盗んだ男たちのようで、生前のアカーキーのコンプレックスの人格化そのもののようでもありました。

アカーキーのシャドウ

コートを盗まれた被害者の幽霊が、加害者の特徴を真似る（「なぞらえる」と言ったほうがよいかもしれません）という奇妙な設定は、分身小説としても極めてユニークです。多くの分身小説が「実在の他人に自身のシャドウを投影する」形でストーリーが進行するのですが、ゴーゴリはシャドウを実在の人間に見立てずに「象徴」にまで昇華しています。アカーキーのシャドウは、個性を持った一人のヒトの形をとるのではなく、「立派な外套」「ヒゲ」「大きな拳」（それぞれ社会的地位、権威、暴力・男らしさなどの象徴）の断片として出現します。

シャドウが幽霊となって現われる『外套』

アカーキーからコートを奪った人物は、アカーキーの無意識が集まって形になった霊的存在（シャドウの断片を切り貼りしたような人物像）である可能性が高いと思われます。その場合、コートを奪った人物と、変身後のアカーキーの幽霊がイコールになり、そうすると物語全体がグニャリと歪んで丸くつながるのです。そこがこの物語のトリッキーなところだと思います。

いずれにしても、コートを奪われ、そのショックから死んでしまい、ついには（！）追い剥ぎをする幽霊となったアカーキーは、「コート」「ヒゲ」「大きな拳」という三点セットを自分のものにしたわけで、それはコンプレックスからの解放と見ることもできます。

ゴーゴリの幽霊と『牡丹灯籠』の幽霊は似ている？

ゴーゴリは幽霊を、どのようなものと考えていたのでしょうか。アカーキーの第一段階の幽霊は、現世（もしくはコート）への未練ゆえに、限りなく生身の人間に近い存在として描かれています。これは意外なことに、日本の怪談によく似たものがあります。

三遊亭円朝の『怪談牡丹灯籠』に登場する、生前好きだった男性への未練から、あたかも肉体があるかのように振る舞い、思いを遂げようとする女性の幽霊です。

また、アカーキーの幽霊が第二段階、つまり生前の肉体の制約から解放され、純化した

「霊」に近い状態になっていく変化は、鎌倉時代の仏教説話『雑談集』に収録されている、信州某所の地頭に財産をだまし取られて悶死する山寺法師の話に似ています。法師は死後にカエルの姿で出現し、恐ろしくなった地頭が財産を返還して法師のために祠（ほこら）を建てるのです（池上良正『死者の救済史』）。

この法師のように「タタリ」として出現した幽霊が、問題を解決したとたん、その性質を転換する（怨みのある死者から、祠に祀られる神になる）という説話は、日本の中世によくあるパターンです。

ウラジミール・ナボコフ（1899〜1977）

このような日本の説話とゴーゴリの幽霊のイメージが偶然の一致を見せているということは、それが何かの真理を突いているからでしょう。

このように、ゴーゴリのどこか日本的な『外套』の幽霊は、ロシア人の目には神秘的なものに映ったに違いないのです。

ロシアの作家ウラジミール・ナボコフは、アカーキーの幽霊について次のように述べています。

アカーキー・アカーキーエヴィチが我を忘れて深入りしてゆく外套着用の過程、つまり外套の仕立とこれに腕をとおしてゆく過程は、実のところ彼が服を脱いでゆく過程、自らの幽霊の完き裸身へと漸次回帰してゆく過程にほかならない。
……素朴な読者の眼にはありふれた幽霊話と映りかねないこのくだりは、結末近く、今わたしが適切な形容詞を見出しかねるなにものかへと変貌をとげる。それは神化であると同時にdégringolade（堕落）でもある。

ウラジミール・ナボコフ『ニコライ・ゴーゴリ』青山太郎訳

「神化であると同時に堕落」とは、どういう意味なのでしょう。アカーキーは生前、自分の小さな仕事を神からの恩寵だと考える信仰に篤い人間でした。ですから、キリスト教の価値観からすると、彼が自分の欲望（コートへの執着心）を死後にあらわにし、暴力的に変貌したのは、堕落に他ならないのです。しかし、アカーキーはそれと同時に、幽霊としてではあれ、生前の自分にはなかった例の三点セット、「コート」「ヒゲ」「大きな拳」に象徴される立派さや、高い地位、強さといった「個性」を自ら持つようにもなっているのです。「個性化」したアカーキーのたどった道、つまり自分に欠けた性質を補完していくプロセスは、ユングの「個性化過程」そのものであると思います。

ユングの個性化（すなわち自己実現）とは、一般的に使われる「その人の独自性を揺るぎなきものにすること」や、それによって「社会的に成功する」ということではありません。それは、他者を自分に取り込んでいくというものです。最初は少しの水たまりのようだった自我が、大きな沼のように拡張し、ついには他人まで呑み込んでしまうような成熟のしかたを指します。ですから、『外套』のアカーキーのように、自分に害を与えた他者すら自らの中に取り込んでいくことも自己実現の過程ということになります。

ユングの「個性化」を知ると、人間の成長に関する新しい視点が得られると思います。これは、先ほども指摘したように、ビジネス書などでお馴染みの一般的な自己実現のイメージとはかけ離れているのです。

そこで、アメリカのロックバンド、Cage The Elephant（ケージ ジ エレファント）の「Come A Little Closer」のアニメーション版のミュージックビデオをお勧めしておきます。たった4分弱の映像でユングの個性化過程がわかります。「個性化をたどる心象風景を早送り再生したようなもの」とでも言いましょうか。

『外套』はバッドエンドか？　ユングの見立て

生に限界を見出していたユングは、死によってこそ全体性を獲得できると考えました。

これは一理あります。考えてもみてください。生きている人間が「私は神だ」と言い始めたら、周囲は「正気の沙汰ではない」と思うでしょうし、神と合一した生きた人間が、そうしばしば現世に出現されても世の中は混乱するばかりです。

ですから、無限なるものの周りをグルグルと徒労感に苛まれながら周回している状態を、生きている人間のゴールとしました。ユングは、その神秘的なイメージとは裏腹に、意外と現実的な着地点を想定していたことになります。

このように「死」によってこそ全体性を獲得できると考えていたユングですが、だからといって、人間が「死」によってただちに「無限の存在」（超越的な存在）となる、と考えたわけでもないようです。

むしろ、ユングは、魂のタイプによっては、超越的な存在になるよりも三次元（現世）のどこかに幽霊として留まるほうが幸福なのではないかと考えていたようです。

それを『外套』に引きつけて考えるならば、現世の人生が明らかに不完全燃焼であったアカーキーの魂は、死後にセカンドチャンスを得られて、ラッキーだったということになります。アカーキーは死後も「個性化過程」の只中にある、というハッピーエンドの話にすら思えてくるのです。アカーキーは生と死を超えて、「全体としての彼自身」になっていく道を辿っていくわけですから。

ここでもう一度振り返ってみると、生前のアカーキーは心身ともに弱く、社会的にもごく限られた領域で活動する能力しか持ちませんでした。それは生きている限りにおいては、克服することのできない壁でした。ですから、アカーキーの死後の変貌は、彼にとっては解放と自己実現の過程に他ならなかったのです。アカーキーの死を不幸とみなすことは、生者の傲慢かもしれないのです。

心理学者のユングが、なぜ幽霊を語っているのかという疑問も出てくると思いますが、ユングは彼自身の幽霊との遭遇体験から発想を得ています（ユング『オカルトの心理学 生と死の謎』島津彬郎他訳）。

ユングの幽霊に関する記録と考察は、霊的存在（幽霊）の実在を否定するイマヌエル・カントの主張を明らかに意識しつつ、それを超えようとするものです。カントの『視霊者の夢』は、神秘思想家スウェーデンボルグへの批判のために書かれたもので、幽霊の出現を空想によるマヤカシの像としています。

ユングは、自分の幽霊体験からカントの主張する

カント（1724～1804）

ような可能性を慎重に差し引いて、理性的に考察を重ねました。そのユングの姿勢は、神秘と心理学に橋をかけようとする知性そのもののように感じられます。

アカーキーのゴール

『外套』の主人公アカーキーは死後に、「自己実現の道」を進みました。彼の「ゴール」を想像してみましょう。善も悪も、自己も他者も呑み込んで完全になったアカーキーは、はたしてどのような存在になるのでしょうか。

想像するに、アカーキーは、多神教の神の一人のような存在になると思います。たとえば、日本の平安時代、右大臣だった菅原道真は左遷され、失意のあまり、死後に怨霊となり、都に天災をもたらしたと伝えられています。それを恐れた人々が、道真を「天神さま（神）」として祀るようになったわけです。

アカーキーも、あのまま突き進めば、道真のような強い〝存在〟となるでしょう。『外套』のラストには、以下のように、すでにその片鱗が見えています。

……いきなり幽霊が振り向いて立ち止まり、「なんぞ用かい？」そう言うと、人間のものとは思えないでっかい拳固をぐいと突き出した。「いや別に」と言うと、巡査はその場で回れ右をする始末。いや、なんでもその幽霊は背丈もずっと高く、おまけに立派な口髭を生やしていたそうで、オブーホフ橋とおぼしき方角に歩を進めると、夜陰にまぎれてぷつりと行方をくらましたと申します。

ゴーゴリ「外套」『鼻／外套／査察官』浦雅春訳

これは、かつて虐げられていた者による逆襲にも見えます。アカーキーが生前の弱さを克服して、恨みを晴らし、強さを求める――それは、まるで日本の怨霊のようでもあり、それをキリスト教の側から見れば、一神教の神からはかけ離れた、多神教の神の誕生、すなわち異教の神の誕生のようにも読めるのです。

ゴーゴリ自身の死

ゴーゴリ自身は、『外套』のアカーキーよりも不可解な死を遂げています。というのも、未完の大作『死せる魂』が賛否両論を巻き起こし、恐れをなしたゴーゴリは、その反動で熱狂的ともいえるキリスト教の信仰に目覚めたのです。さらには狂信的な神父がゴーゴリの恐怖をあおり、文学を棄てるようにと仕向けます。その結果、ゴーゴリは『死せる魂』の第二部の原稿を焼却し、断食の末に瀉血（しゃけつ）と荒療治を施され、42歳の若さで死亡します（光文社古典新訳文庫版『鼻／外套／査察官』の浦雅春による解説）。

作家や芸術家が、自分の創作物の世界に呑み込まれることはよくあります。第1章で取り上げた芥川龍之介も35歳で不可解な自死を遂げています。芥川はゴーゴリから強い影響を受けた作家の一人ですから、ゴーゴリの死を考えることは、同時に後進たちの不可解な死の謎を解くヒントにもなると思います。

芥川の場合は、日本の宗教観から離脱しようともがき、キリスト教の信仰への渇望の末に自死しました。自死の理由は一つではなく、複数の要因が組み合わさったものと考えるべきでしょうが、彼がキリスト教に一縷の望みを懸けたことは確かです。なぜなら、芥川の遺作「西方の人」は、明らかに異教の地からのキリスト教へのラブコールでした。「西方の人」とはイエス・キリスト、その人のことです。以下は「西方の人」の冒頭の部分です。

わたしはかれこれ十年ばかり前に芸術的にクリスト教を——殊にカトリック教を愛していた。長崎の「日本の聖母の寺」はいまだに私の記憶に残っている。こういうわたしは北原白秋氏や木下杢太郎氏の播いた種をせっせと拾っていた鴉に過ぎない。それからまた何年か前にはクリスト教のために殉じたクリスト教徒たちにある興味を感じていた。殉教者の心理はわたしにはあらゆる狂信者の心理のように病的な興味を与えたのである。わたしはやっとこの頃になって四人の伝記作者のわたしたちに伝えたクリストという人を愛し出した。

芥川龍之介「西方の人」『或阿呆の一生・侏儒の言葉』

日本の土着的な信仰や仏教文化圏に身を置きながら（彼の遺書には阿含経からの引用も見られる）、キリスト教の神を希求した芥川と、キリスト教の世界で多神教のような、しかも、なぜか中世の日本の説話のような物語を書いたゴーゴリは、まるで資質が異なるようにも思えますが、宗教的な葛藤を胸に亡くなったという点においては同じです。

『外套』は軽妙な喜劇にも見えますが、その死生観は明らかに反一神教的です。ゴーゴリの作品と、ゴーゴリ自身の信仰との板挟みの葛藤が、彼を日常生活から逸脱させていったのではないでしょうか。そして、その葛藤は、彼の作品自体が呪術的ともいえるような強烈なパワーを持っていたことにより、なおいっそう強くなったのでしょう。

読者の皆さんには、ぜひ『外套』を読んでほしいと思います。

COLUMN

コラム

「幽霊を見る」とはどういうことか？

ヘンリー・ジェームズ『ねじの回転』

私は大学院生のころ、心霊現象によく悩まされました。葬送研究をしていたこともあったからでしょうか、墓地に調査に行って帰宅すると、その晩、ポルターガイストのような現象に悩まされたのです。ラップ音が鳴り止まず、金縛りに遭い、朝起きたら部屋のアニメのフィギュアが全部倒れていた、などということもありました。

それは私自身の不安な心を見透かすようにどんどん増長していくように思えました。

しかし、そのような不可解な現象にも慣れてくると、私は「目に見えないものに謝り倒す」という独自の解決方法を身につけるようになりました。現代の幽霊には、現代語の素直な謝罪が届きやすいのではないかと思った、私なりの対処法でした。

その効果があったのか、その後、何とか心霊現象は治まったものの、その経験は私の宗教観、人生観に強く影響を及ぼしたように思います。

そんな体験者として、文学の中から、限りなくリアルに近いと思われる幽霊小説を挙げるとすれば、断然ヘンリー・ジェームズの『ねじの回転』です。

「わたし」にしか見えない幽霊

『ねじの回転』は以下のような物語です。

語り手の「わたし」は、両親を亡くしたマイルス（10歳前後）とフローラ（8歳）兄妹の家庭教師として、イギリスの大きな古い屋敷に住み込みとなります。当時のヨーロッパの富裕層（貴族、ブルジョア）は、家庭教師を住み込みで雇っていたのです。

ヘンリー・ジェームズ（1843～1916）

当初はその仕事に就くことをためらっていた「わたし」ですが、面接で二度対面した依頼人（兄妹の伯父）に強く惹かれ、下心もあって着任するのです。その屋敷には、マイルスやフローラの他に、家政婦のグロースも住み込みで働いています。兄妹の伯父は同居しておらず、なぜか契約後に、こちらに連絡はするなと念を押してきたため、「わたし」の淡い恋心は抑圧されたままになります。

この屋敷に住んでいるのは、生きている人間だけではありません。奇妙な同居人である男女の幽霊がいるのです。家政婦グロースによると、彼らは前任の女性家庭教師と彼女と懇ろになった使役人男性の幽霊ということでしたが、幽霊の男女は「わたし」にしか見えないようです。妹フローラは幽霊が見えているそぶりは見せるのに、「そんなものは見えない」と強情に言い張ります。幽霊が見えると主張し続ける「わたし」は、神経症患者とみなされて孤立し、精神的に追い詰められていきます。とうとう「わたし」は、その状況がフローラに仕組まれたものなのではないか、という被害妄想すら抱くようになります。

小説内の事実レベルでは、語り手の「わたし」が狂気におちいっているのか、マイルスとフローラに悪霊が取り憑いて「わたし」を罠にはめているのか、もしくは幽霊は本当に「わたし」だけに見えているのか、最後までわからないままなのです。それを記述する作家の筆（ナラティブ）も多義的に読めます。そして、読者は混乱のままこの物語を読み終えることになります。

また、この小説は、精神的に不安定で生活経験に乏しい若い女性（「わたし」）の語りで構成されていて、その「語り」が事実かどうかあいまいである、という仕掛けまであります。語り手の女性家庭教師が狂気におちいった話とも、彼女がフローラに騙されて職場を追われた物語とも見えます。あるいは、語り手だけに見える幽霊がいる、という怪談めいた読み方もできます。

ヘンリー・ジェームズ・ジュニアとシニアの関係

ヘンリー・ジェームズがこのような作品を書いた背景には、執筆当時、心霊主義が流行していたということに加えて、作家自身の特殊な家族構成が関わっている可能性があります。作家の父（息子と同名でヘンリー・ジェームズ・シニア）は宗教哲学者であり、兄は著名な哲学者ウィリアム・ジェームズです。兄ウィリアムには心霊研究者としての顔もあります。父ヘンリーの心霊主義への傾倒は、『ねじの回転』に大きな影響を与えていると思います。

父ヘンリーは13歳の時に、事故で右脚を切断し、その後も壊疽（えそ）に悩まされ、3年以上も寝たきりになりました。そして彼はアルコール依存になり、その荒れた生活を克服したのちに神学校に入りますが1年で退学、結婚して息子のウィリアムとヘンリーが生まれます。家庭を持ってからのシニアは、霊界を旅したと主張するスウェーデンボルグの思想と出合い、心霊主義に開眼します。そして霊的なものへの傾倒に家族を巻き込み始めるのです（デボラ・ブラム『幽霊を捕まえようとした科学者たち』鈴木恵訳）。

ともに心霊主義に傾倒する父と兄に挟まれて創作活動をしていたヘンリー・ジェームズは、

彼らの視点を小説世界に内在化させ、それを天性の技巧で作品化したのでしょう。たとえば兄ウィリアム・ジェームズの研究には、心霊現象の体験者のナラティブが取り入れられており、彼はそれを心的な事実として扱いました。心的事実からすれば、目に見えている世界こそが幻想なのです。すなわち『ねじの回転』には、ウィリアム・ジェームズの心霊研究のエッセンスが随所に見られるのです（ハンス・G・キッペンベルク『宗教史の発見 宗教学と近代』月本昭男他訳）。

というと、あたかもヘンリーが突発的に出現した風変わりな存在だと思われるかも知れませんが、その文学的業績は偉大なものです。彼の作家としてのテーマは『ねじの回転』のような心理小説に限らず、多岐に渡っています。

彼は19世紀後半から20世紀にかけての英米文学最大の作家だといってもいいくらいです。新しい手法を小説の表現に取り入れ、同時代の作家たちに与えた影響も計り知れません。

『ねじの回転』は、萩尾望都の『ポーの一族』みたいな幼い兄妹の姿をした魔物（あの漫画は吸血鬼だが……）がおとなを手玉に取るという物語としても読める。マイルスかフローラ、どちらか、もしくは両方が、悪魔の化身ということだ。

まず、マイルスが悪魔の化身という可能性。彼は妙に老練だし、周囲に悪影響を及ぼすので学校を放校になっている。夜中に家を抜け出して語り手の若い家庭教師をからかっているところも怪しい。

でもフローラも怪しい。語り手が何度も何度もフローラのことを天使にたとえている。天使のペルソナを持つ少女の裏側にある影（シャドウ）とは何か？　この謎かけの答えを考えた時、我、メフィストの存在が自ずと浮かび上がってくるであろう。

第

章

有事を生きる人間の姿

——ヴィアン『うたかたの日々』、カミュ『ペスト』

人間が神を信じなくなると、実は、私も困ることになる。神を信じなくなった人間は悪魔(メフィスト)も認識できなくなるからだ。
でも、悪魔は、いなくなったわけじゃない。

『うたかたの日々』は過ぎ去るのみ……

2020年4月現在、新型コロナウイルスの感染拡大により世界中が危機の渦中にあります。フランスの作家アルベール・カミュの『ペスト』（アルジェリアの街がペストでパンデミックになる架空の物語）がリバイバルしていますが、ここでは少し異なった視点から今回のコロナ禍を考えるべく、ボリス・ヴィアンの代表作『うたかたの日々』を取り上げます。

主人公のコランは22歳の青年で、十分に食べていける資産があるため、働いていません。コランはニコラという男性料理人を雇い、贅沢で優雅な独身生活を送っていました。コランにはシックというエンジニアの友人がいます。シックは哲学者パルトル（実在の哲学者サルトルがモデル）に正気の沙汰とは思えないほど傾倒しています。

物語はコランとシックの恋を中心に進み、まずシックがパルトルの講演会で、コランの料理人ニコラの姪アリーズと出会い、恋に落ちます。主人公コランは自分も恋愛がしたいと思い、パーティでクロエという美しい女性に出会い、二人はすぐに恋人同士になって、結婚までとんとん拍子に進みます。

彼らの日々は、享楽と浪費（泡沫（うたかた））に彩られ、飽くことがありませんでした。泡沫とはバブルのことです。

コランは大金持ちにして大変な友達思い、シックが恋人アリーズ（ニコラの姪）と何不自由なく結婚生活を送れるように、大金をプレゼントします。しかし、パルトル狂のシックは、パルトルの著書と関連グッズの収集に夢中で、大金を自分のコレクションに使い込んでいます。シックもまた、浪費の虜（とりこ）、泡沫の日々を送っているのでした。恋愛至上主義者のコランは、恋人（妻）のために惜しげもなく浪費しますが、シックはパルトル至上主義のためお金を湯水の如く浪費します。シックにとっては、恋人アリーズよりもパルトルのコレクションのほうが大切なのです。

ボリス・ヴィアン（1920〜1959）

しかし、彼らのうたかたな日々は継続しません。

クロエは肺の病にかかってしまいます。これは肺の中に睡蓮（すいれん）が寄生するという重病（架空の病気）であって、当初は軽い発作だけなので出歩いたりはできますが、やがて重篤に肺が侵され、死に至ります（新型コロナウイルス肺炎の症状に似た面がある）。有閑階級のコランはクロエの治療費のために財産を使い果たし、とうとう一介の労働者として働かざるをえなくなるのです。

一方、シックの恋人アリーズは、シックの浪費癖がそのうち彼の人生を破綻させることになると悲観し、その原因となった哲学者パルトルを憎むようになります。彼女は、パルトル行きつけのカフェで待ち伏せし、「心臓抜き（架空の武器）」を使って彼を殺してしまうのです。パルトルを殺し、本屋を燃やしてしまえば、シックの浪費は終わり、二人は幸福になれる。アリーズの短絡的で独善的な行為ですが、それはひたすらシックを救いたいという思いからでした。

アリーズがパルトルを襲撃したのと時を同じくして、シックは警官に撃たれて死にます。税金滞納の末、財産差押さえのガサ入れ中に、パルトル関係の蔵書を守ろうとした際の出来事でした。結局、アリーズも、パルトル襲撃後に本屋で焼死してしまい、「うたかたの若者たち」のうちで生き残ったのは、コランと料理人ニコラだけ。とはいえ、後に残ったコランも「精神的な死」の状態――何もせずに岸辺で過ごし、食事もとらず、緩慢な自殺未遂のような状態になってしまいます。

以上が『うたかたの日々』のストーリーです。

自己形成小説（教養小説）は数多くありますが、『うたかたの日々』は逆のベクトルを進む〝自己崩壊小説〟、破滅に向かう物語の傑作です。富裕層カップルが財産を失ない、健康を失ない、自尊心を失ない、友人を失ない、信仰を失なっていく滑り台のような転落の物語は、肺に睡蓮が寄生する病や「心臓抜き」という武器の象徴性も含め、現在の状況下においても強烈なインパクトを放っている「死」の小説なのです。

サルトルへの強烈な皮肉と批判

登場人物たちの死は、それぞれに何を意味するのでしょうか。

まずは、サブストーリーとしてのシックの死から考えましょう。

シックはそもそも、世界を席巻していた哲学者パルトル――サルトルのあからさまなパロディなので、ここからはサルトルとして語ります――サルトルの実存主義に強く惹かれていた、いやカブれていたのでしょう。

しかし、シック自身は実存主義者になるのではなく、度を超えたコレクターになったわけです。サルトルは、神なき時代のヒューマニズムを提唱し、自分の生き方は自分で決める、その「自由」というものを盾に「人間中心主義」を打ち出した哲学者であり、文学者だったのです。そんなサルトルの著書や関連グッズが、コレクターから自由を奪い、人生を破壊してしまうというサブストーリーは、ボリス・ヴィアンが時代の寵児サルトルに突きつけた挑戦状、強烈な皮肉に満ちた批判といえるでしょう。

サルトルの実存主義なんて、実際には何の効力もない、ただたんにカブれたマニアを生み出すだけの偽物なのではないか？

ヴィアンのこの予感は後に的中する、と言えなくもありません。というのも、サルトルは最晩年に彼自身の実存主義を捨て、無神論から転じて神の実在を語るようになり、運命論者となるのですから。また、死生観に関しては思考停止のまま亡くなっています。

サルトルの実存主義は、近年さまざまな再検討・再評価がなされていますが、当時のサルトルのこうしたある種の矛盾を突けたのは、サルトルの取り巻きの一人であったヴィアンだからこそでしょう。

パルトルの描写は、そのままサルトルの執筆スタイルをなぞったもののようです。

パルトルは毎日カフェで過ごし、彼と同じように飲んだり書いたりしにくる連中と一緒に飲んだり書いたりする。彼らは海の彼方から届いたお茶だのソフトアルコールだのを飲み、そのおかげで自分たちが何を書いているのか考えずにすむ。店には大勢の客の出入りがあり、そのおかげでアイデアが底のほうからかきまわされ、一つ二つ収穫もあるし、余計なものだって全部除外してはいけない、少しばかりのアイデアに余計なものを少し加えて水増しするのだ。そうすれば人々にとって飲みやすくなる。

ヴィアン『うたかたの日々』野崎歓訳

1960年代には日本でも全集が刊行され、当時の大学生やインテリ層の中で大ブームとなった哲学アイドル、サルトルへの強烈な皮肉になっています。

サルトルは「自由は本質をもたない。自由は、いかなる論理的な必然性にも従わない」(サルトル『存在と無3』松浪信三郎訳)と述べていますが、とすれば、他者がどのような非論理的な自由を振りかざしてサルトルを襲撃しても、サルトルはそれを甘受しなければならないと解釈することもできます。絶対的自由を掲げるカリスマ的な実存主義者を、その信奉者の恋人が絶対的自由を盾に殺してしまうと解釈することもできる『うたかたの日々』のサブストーリーは、サルトルの実存主義批判として機能します。

以下は、アリーズとパルトルの会話です。

「ご説明します。シックはお金を全部、あなたの作品を買うのに使ってしまうのです。そしてもうお金はありません」

「別のものを買えばいいのに。わたしは自分の本など買ったことがありませんよ」

「彼はあなたのなさっていることが好きなんです」

「それはその人の権利でしょう。それは彼の選択したことだ」

「彼は深入り（アンガジェ）しすぎたんです。わたしもわたしの選択をしましたが、でもいまでは自由になってしまったのです。なぜなら彼はもう、わたしが一緒に暮らすことを望んでいないからです。そこでわたしは、あなたを殺そうと思います。だってあなたは刊行を延期してくださらないのですから」

「そんなことをされたらわたしは実存の手段を失ってしまう」

ジャン＝ソールはいった。

「もしわたしが死んだら、どうやって印税を手にすることができるんです？」　同

※ジャン＝ソールとはパルトルのこと。サルトルのフルネームはジャン＝ポール・サルトル

コランの料理人ニコラもパルトルの影響を受けていて、アンガジュマン（政治・社会参加）についての「奉公人哲学サークル」の会長を務めています。当時、サルトルの思想が若い労働者にも多大な影響力を持っていたという事実を小説に取り込んでいるのです。

その一方で、ニコラの姪アリーズはパルトルを襲撃した際に、彼からあからさまな本音を聞き出します（「死んだら、どうやって印税を手にすることができるんです？」）。

これらを対照的に描くことで、ヴィアンは知識人サルトルと、ワーキング・クラスのギャップを描き出そうとしたのでしょう。

クロエの病とコランの労働

ヒロインのクロエの死もまた、主人公コランの「労働」と対照的に描かれています。すでに「あらすじ」に記したように、クロエの病状が悪化するにつれて、その医療費がコランに重くのしかかります。コランは遺産を使い果たしてワーキング・クラスになり、慣れない労働で心身を消耗します。

彼らが「うたかたの日々」にあったころ、「労働」は視野の外にありました。買い物やパーティ、スケート、カクテルが飛び出すカラクリ・ピアノの演奏など、ゴージャスで気ままな日々を謳歌していた彼らにとって、労働者の暮らしや日常など目に入りません。コランとクロエが新婚旅行先で労働者を目撃した時も、クロエは「彼らはなぜ働いたりするのか」と言う始末です。贅沢な食べ物も衣服も、自分たちはひたすら消費するばかりで、それらを誰が生産しているかに思いの及ばないクロエは、社会というものにあまりに無知であり、働くことを軽んじ、労働者には想像力が及びません。

そんなクロエが新婚旅行中に肺の病に感染し、コランは治療費を稼ぐために働かざるをえなくなったのです。労働経験のないコランにできる仕事は少なく、体温で銃身を育てる仕事（身を削って商品を製作することのたとえ）と、これから起こる不幸を本人に知らせに行く仕事（つらい感情労働）でいくばくかの賃金を得ます。こうした空想的な職業は、クロエの肺の中に育つ睡蓮や「心臓抜き」と同様、小説の道具立てとして象徴的な意味を持ちますが、クロエの治療費を稼ぐために働かなければならないコランの姿は、まさに、新婚旅行中にクロエが見た労働者の姿そのものなのです。

遊び暮らしていたコランとクロエは生産（労働）と消費の構造から超越したかのような特権階級（実際には「超越」しているのではなくて、「寄生」していた）でしたが、クロエの長引く病によっておカネが尽き果てたコランは、最終的にクロエの葬式代も満足に払えませんでした。

メフィストの呟き

睡蓮が肺に寄生する病、体温で銃身を育てる仕事、心臓抜き……ヴィアンの奔放な詩的喚起力は、彼の言葉に関する繊細な感性だけでなく、その職業体験がもたらしたのかもしれない。彼は工業関係の組織で働いていた。ガラスのボトルを比較検討し、理想のボトルを見つけるという仕事をしていたらしい。理想のボトルとは？　そう考えているうちに、物の見方が深くなったのだろうか。

理想のボトルの背後には、選ばれなかった多くのボトルがあるはずだ。『うたかたの日々』の中で、無機物であるはずの物が、まるで生物のように壊死していくシーンがある。ヴィアンは、廃棄される「完璧ではないボトル」に感情移入するうちに、世界に対する独自の手触りのようなものをつかんだのではないだろうか。

神は寝ぼけ、思想は無力

葬儀では、棺（ひつぎ）は投げ捨てるように運ばれ、クロエは埋葬されます。葬儀でコランがイエス・キリストの像（神）に問いかけるシーンでは、罪のないクロエの死について疑問を口にします。すると、イエスは「クロエの死に宗教は何も関係ない」と応答します。この作品での神は、寝ぼけた存在として描かれ、誰も救うことはありません。

コランは食事もとらず、岸辺で無為な生活を送るようになります。時を経ずして、コランも死ぬであろうことをほのめかして、この物語は終わります。クロエの死においても、コランの死においても、神の〝恩寵〟などというものはありません。シックとアリーズのくだりでは、実存主義思想が擬似宗教（パルトルへの個人崇拝）のように描かれていますが、パルトルもまた、誰も救いはしませんでした。

神の不在と信仰の葛藤

2019年からの新型コロナウイルスのグローバルな感染拡大により、同じような状況を描いたカミュの『ペスト』が世界的なベストセラーとなりました。『異邦人』で有名なカミュの人気作品の一つであり、日本国内でも、もともとロングセラーではありましたが、爆発的な読まれ方をしたと言っていいでしょう。1969年に発行された新潮文庫版は、100万部を超えたそうです（時事ドットコム）。

『うたかたの日々』は「病」「死」「不条理」「神の不在」などをテーマとした作品ですが、『ペスト』にも同じことがいえます。ここでは双方を対比して見ていきましょう。

『ペスト』では、登場人物のパヌルー神父の特異な症状（パヌルーだけがペストのようでペストではないような不思議な経過をたどり死に至る）に神の存在がほのめかされてはいるものの、最終的には作中で神の存在が否定されています。ペストが過ぎ去ったあと、「人間を越えて、自分にも想像さえつかぬような何ものかに目を向けていた人々全てに対して、答えはついに来なかった」（カミュ『ペスト』窪田啓作訳）と、物語の語り手の医師リウーが総括していることから、それがわかります。

ここでの「答え」とは、神の実在を確信できるような奇跡や救いです。神のいない世界で、不条理な疫病という厄災に対峙する――それがカミュの『ペスト』とヴィアンの『うたかたの日々』に共通するテーマといえるかもしれません。

このように、二作には、大きく共通するテーマがありますが、細かな点では『ペスト』にあって『うたかたの日々』にないものがあります。それは信仰への葛藤です。『うたかたの日々』では、浪費の日々にあって神の存在は顧みられず、クロエの葬儀のシーンでも、まるで漫才のようなイエス・キリストとコランの掛け合いが見られるだけで、失望はあるけれども信仰への葛藤は見られません。

アルベール・カミュ（1913〜1960）

他方、『ペスト』では、先に見たように神の存在に対する葛藤が大きなテーマになっていて、それはパヌルー神父の口を借りて語られます。

『ペスト』は、オムニバス形式で人物が入れ替わり登場し、それぞれが厄災に立ち向かっていく構成になっていますが、そのうちの一つがパヌルー神父のエピソードです。ペスト禍にあるアルジェリアの街オランで、人々を導く立場にある神父の狂信的な態度が、ペスト禍によって変わっていくことにこの物語の核心があります。当初は「神が人を愛する時間を長くするためにペストという災禍をなすがままにしているに違いない」という論理を振りかざしていた神父は、最終的に、市民には神を信じるか信じないかの二つの選択肢を用意するようになります。神父自身は信仰を守って死んでいきますが、彼が神（信仰）に対する絶対主義的な態度をやめた点にこそ、『ペスト』の最も重い問いがあるのです。

カミュは、宗教や主義・主張の厳格性によって、人々が選択の自由を奪われることを徹底して嫌いました。宗教に対してだけではなく、サルトルの実存主義など思想に対してもそうでした。カミュは右派でもなく、左派でもない中道を主張し、左派のサルトルと衝突しています。ヴィアンもカミュも、時代の寵児サルトルに、それぞれのやり方で異論を唱えていたのです。

ただし先に見た通り、ヴィアンとカミュでは不条理の捉え方が異なります。ヴィアンは、ただただなす術もなくそれに負けてしまう物語を書きましたが、負けていく様子をシュルレアリスムの絵画のように描くことで、詩的な美をそこに見出しています。カミュは、不条理に対する勝ち負けではなく、不条理に立ち向かう姿に人間の美しさを見出すという姿勢を貫きます。

す。

カミュの不条理に対する態度とコロナ禍の日本

カミュの不条理の考察は、哲学エッセイ「シーシュポスの神話」で明確に説かれています。

人間の生とは、転がり落ちた岩を山頂に押し上げるやいなや、それがまた転がり落ちてしまい、再び山頂まで押し戻さねばならない――その繰り返しであるとして、さらにそれを肯定的に捉えています。

ひとはいつも、繰り返し繰り返し、自分の重荷を見いだす。しかしシーシュポスは、神々を否定し、岩を持ち上げるより高次の忠実さをひとに教える。かれもまた、すべてよし、と判断しているのだ。このとき以後もはや支配者をもたぬこの宇宙は、かれには不毛ともくだらぬとも思えない。この石の上の結晶のひとつひとつが、それだけで、ひとつの世界をかたちづくる。

カミュ『シーシュポスの神話』清水徹訳

カミュの思想は、ニーチェの永遠回帰と似ています。明確な違いは、ニーチェの永遠回帰が、無味乾燥な人生の繰り返しの中に大きな変革を想定しているのに対して、カミュにはそれがないということです。ニーチェの『ツァラトゥストラ』では、変革を「大いなる正午」という比喩的な言葉で表現していますが、その内実は語られぬまま、プッツリと物語が完結します。とはいえ、それは夜と昼がひっくり返るような、何らかの大変革であることが示唆されています。

カミュは、不毛な繰り返しという行為そのものに人間の美を見出し、大きな変革を求めませんん。苦難や不幸に苛まれると、人間はどうしても大きな変革や、究極の目的を求めがちです。しかし、たとえ目的がなくても、不毛な現実に立ち向かい続ける、その姿勢こそが人間の存在意義であるというのがカミュの思想なのです。

何かのゴールを目指すのではなく、大きな変革に望みを託すのでもなく、ニーチェのように永遠回帰するのでもない。ただただ消耗するだけの繰り返し。たとえ人間がそういう存在であったとしても、それこそが美しい。これは、現在のコロナ禍においても通じる、一つの人間の生き方を示していると思います。

わずかな行動ミスが自分と他者の命を奪いかねない状況においては、御大層な主義・主張も絵に描いた餅になりかねません。カミュの不条理文学から、私たちは人間の無力を知るとともに、強く生きる人間の姿を見出すことができるのではないでしょうか。私たちがこのような事態に直面しつつ、考えること、行動すること、表現すること、そこから得た知恵などは、まさにカミュが「シーシュポスの神話」の中で「石の上の結晶」と表現したものだと思います。私はこの石の上の結晶が、ポストコロナ時代の新しい世界を形づくると信じています。

ヴィアンは「コレージュ・ド・パタフィジック」に属していた。これは、作家のアルフレッド・ジャリが1948年に結成した前衛芸術集団だ。ヴィアンの特異な小説世界には、このグループの影響もあるだろう。パタフィジックとは、現代科学に関する嘘やパロディをそれっぽく仕立て上げて、壮大な空想世界を創り出す運動のこと。かつて『空想科学読本』がベストセラーになった日本では、空想科学的な手法に馴染んでいるかもしれない。

コラム

COLUMN

よそ者とは誰か？　カミュ『異邦人』

『ペスト』の不条理とは、いうまでもなくペスト禍に直面することそのものです。そこでは登場人物たちが、それぞれ何らかの決断を迫られます。ペストと闘うのか、逃げるのか、それとも運命を神にゆだねるのか……究極の選択をも含めた人間の理性が問われています。

しかし、人間には理性だけでは捉えられない世界があることも事実です。そうした人間の不可解さを描いた作品が『異邦人』です。

まず、『異邦人』というタイトル。

この小説の舞台は北アフリカのアルジェリアであって、アラブ人が随所に出てきます。主人公のフランス人ムルソーは、宗主国の人間としてアラブ人に接しているものの、アルジェリア側から見れば、ムルソーが異邦人です。

ここでアルジェリア生まれの作者カミュと登場人物のムルソーを同一視することは、むろんできませんが、カミュの境遇がムルソーの造型に何らか投影されていると考えることは可能でしょう。

アルジェリア戦争（1954〜62年）の10年ほど前、1942年に『異邦人』は書かれていますが、それ以前からフランスとアルジェリアは政治的な緊張状態にありました。実際にアルジェリア戦争が起こった際には、カミュは協調論を提唱しています。

カミュはアルジェリアでは異邦人であり、フランスにおいてもアルジェリア生まれの異邦人という面があり、戦争における彼の主張がどっちつかずに見えたのは、その反映だったのかもしれません。

なお、カミュの生い立ちを知るには、2010年に公開されたフランス映画《アルベール・カミュ》（監督ローレント・ジャウィ）が好適です。

太陽のせい？

ムルソーは、母の死の直後に出かけたバカンス先でイザコザに巻き込まれて逆恨みされた挙句、短刀を持ったアラブ人に襲われそうになります。ムルソーは身を守るために銃を構えたところ、熱波で全身が強張り、手が痙攣し、偶発的に発砲してしまいます。

そこでさらにムルソーは、精神のタガが外れたように、さらに4発も発砲します。これは明らかに正当防衛を超えた加害行為です。

最初の発砲から、後の4発の発砲の間に何が起こったのか。逮捕されたムルソーは何度も説明を求められますが、それに論理的な理由はありません。死刑判決が出た後に、ムルソーはその殺人について「太陽のせいだ」と発言し、法廷に笑い声が起こります。

周囲がムルソーを激しく断罪した理由の一つに、バカンスで遊び呆けていた時に発砲事件が起きたこと、さらに、それがムルソーの母親の死の直後であったという事実があります。最終的にムルソーの印象を決定づけたのは、母を失ったばかりなのにガールフレンドと観ていた映画がコメディ映画であった、という証言でした。

ムルソーは母の死の直後に、「ママンのことがなかったら、ぶらぶら歩くのは、どんなにうれしかろう」（カミュ『異邦人』窪田啓作訳）と悲しみを吐露し、彼をよく知る老人が「私はあんたを知っており、大へんママンを愛していたことを知っている」（同）と述べていることからも、彼が彼なりに悲しみに暮れていたことがわかります。また、殺害行為に弁解の余地がないのは当然ですが、母の死の直後にバカンスに興じ、コメディ映画で気分転換すること自体は、罪になるとまでは言えません（発砲したのは、その後）。

最終的にムルソーは、死刑を待ち望むようになります。

彼は事件を通じて、彼なりに死について考え、自らの死刑求刑を受け容れます。また、そのような経緯による死が不幸だという境地から脱しているように見えます。死を受け容れたムルソーは、次のように語るのです。

これほど世界を自分に近いものと感じ、自分の兄弟のように感じると、私は、自分が幸福だったし、今もなお幸福であることを悟った。すべてが終わって、私がより孤独でないことを感じるために、この私に残された望みといっては、私の処刑の日に大勢の見物人が集まり、憎悪の叫びをあげて、私を迎えることだけだった。

カミュ『異邦人』窪田啓作訳

カミュが意図したのは、読み手をムルソーに感情移入させるようなことではありません。おそらくここでカミュは、ドストエフスキーの『罪と罰』を想起しています。

ムルソーは自らを幸福だと言い、孤独の死を迎える（死刑）ことが決まっても、「私がより孤独でない」ことを望んでいます。彼は自らの手で死に至らしめた人間を思い出すこともなく、そこには一片の罪悪感もなかったのです。

サルトルは「神が存在しようがしまいが、人間を中心に考える」という哲学を展開したが、カミュは「神なき世界で人間がどこまで強くなれるのか」をテーマとした。そこには通底するものがある。ところが、アルジェリア戦争で政治的に敵対し、喧嘩別れした二人は、結局、和解しないままカミュが交通事故で急死してしまう。

ところで、サルトルは『うたかたの日々』中で、あれだけ揶揄されたにも拘わらず、39歳で早世したヴィアンのために、この作品を世に広めようと努めたのだった。

第7章

生と死を管理するシステム

――ブッツァーティ「七階」、カフカ『変身』

新型コロナウイルスの感染の収束が見えません（2020年10月現在）。グローバル時代などと言われますが、蔓延するウイルスの前には張り子の虎です。人の行き来は途絶し、産業のサプライ・チェーンもままなりません。

そのような国家単位、行政単位で封鎖された状況で、危機に瀕した命を守ることができるのは、まずそれぞれの国家であり、それぞれの地域政府です。政府が強制的な権力を発動し、ある程度のルールとシステムを構築・管理しなければならないことも確かです。緊急事態権力の発動です。そうした国や地方（日本では都道府県市町村）の対応について、特に国家単位で成功だ、失敗だとさまざまに評価されていますが、いずれにしろ、まだ結果は見えない状況にあります。

感染者の致死率が、国や地方のシステム、病院、企業、学校といった組織の対応によって決まるという状況について、イタリア人作家ディーノ・ブッツァーティの短篇小説「七階」がより普遍化したかたちで考察のヒントを与えてくれるかもしれません。

心が先か？　症状が先か？

「七階」の主人公ジュゼッペ・コルテは、何らかの病気の初期症状を発症したらしく、ある療養所に入院します（病名や有名であるらしい療養所の名は明らかになっていません）。その療養所は、病室がフロアごとに階層化されていて、患者は症状に応じて振り分けられるシステムになっています。

入院当初、主人公のコルテは、このシステムを合理的なものと考えていました。

入院患者たちは、病気の程度によって、各階にふりわけられているという。七階、つまり最上階は、ごく軽い病状の患者たち。六階は、重症ではないものの、けっして侮るわけにもいかない患者たち。五階あたりになると、それなりに病状が深刻になるというぐあいに、一階下がるごとに重くなってゆく。そして、二階に入院しているのはきわめて重症の患者ばかり、一階ともなると、一縷の望みもなくなってしまう。ほかに類のないこのシステムの利点は、病院側のサービスの大幅な効率化を図るだけではない。症状の軽い患者が、末期にある闘病仲間と同室になることで、いらぬ不安をあおられる心配もなく、それぞれの階に均質の空気をかもしだすことができた。同時に、段階的な治療を徹底することも可能となる。そのた

ディーノ・ブッツァーティ（1906〜1972）

め、入院患者はカースト制度のように、画然とした七つのグレードに分けられていた。それぞれの階ごとに排他的な小さな世界が形成され、その階でしか意味を持たないような独自の決まりごとやしきたりが存在している。

ブッツァーティ「七階」『神を見た犬』関口英子訳

「七階、つまり最上階」の「ごく軽い病状の患者たち」の一人として収容されたコルテでしたが、入院早々に、療養所側の部屋割りの都合という理由で、七階より一段階症状の重い六階へと移されることになります。彼からすれば、気分は七階の患者のままですから、まだ余裕があります。主人公の心を支えているのは、「自分だけは、同階の連中とは違って、偶然ここにいるのだ」という思いです。同階の患者に対する「自分は、彼らよりは症状が軽いんだ」というある種の優越感が、彼の心をかろうじて鎮めているのです。

しかし、六階の担当医に「症状は軽いけれども身体の広範囲に病状が広がっている」と告げられ、コルテは少し不安になります。さらに追い討ちをかけるかのように、病院のシステム自体（症状による階層振り分けの制度）が変更されたことで、症状が重いほうに振り分けられてしまい、コルテは五階へ降りることになります。そこで、コルテの心には「病院側に騙されているのではないか」という疑念が生まれ、怒りを爆発させます。

……コルテは六階の入院患者のなかでも、「症状の重い」ほうの半分に振り分けられたらしく、五階に下がらなければならない。

最初はただただ驚くばかりのコルテだったが、やがて怒りがむらむらとこみあげてきた。みんなで寄ってたかって自分のことを騙そうとしている、またしても下の階に移るつもりはまったくない、こうなったら退院して家に帰ってやる、患者にだって権利というものがある、療養所の事務局は医師の診断をあからさまに無視すべきではない……などと、どなりだしたのだ。

医師がやってきて、叫ぶコルテをなだめようとした。そんなに興奮すると熱が上がる、おそらくどこかで行き違いがあったのだと医師は説明した。（同）

結局のところ、事務局の記入ミスか何かだろうとのことだったのですが、正式に異議を申し立てる気力もなく、コルテは五階に降ります。さらに、五階に移った途端に、彼の右足には湿疹ができて、その治療のために四階に移ることになります。しかし、湿疹は快方に向かわず、より良い治療を受けるためには三階に移動する必要があると聞いて、彼はつい三階に降りることを希望してしまうのでした。ところが、当の三階では、ちょうどスタッフが一斉休暇を取る時期と重なり、そのためにフロアの全患者が二階に移動する必要が生じるのです。

やむなく二階に移動すると、今度は、死を待つばかりの一階患者の声が耳に入ってきて、コルテの気分は滅入ります。その結果、彼は目に見えて心身が衰弱していき、さらに、あろうことか教授（権力のある医師）の書類上の手違いで、とうとう最も病状の重い一階に移動することになるのです。

ここまでの物語はたたみかけるような展開で、主人公は文字通り一気に転落していきます。

そこでコルテは、奇妙な脱力感に見舞われます。その後の展開は直接的には描かれていませんが、コルテはおそらく一階に移動したことで生きる気力を失い、死亡することになったのだろうと、それとなくわかる描写があります。

…看護婦が出てゆくと、彼は十五分ほど黙りこくっていた。たとえ事務的な手違いからにしろ、六つもの階が、六つものおぞましい障壁の重みが、コルテの頭上に容赦なくのしかかっている。この奈落の深淵から這いあがるには、いったい何年――まさしく年単位で考える必要があった――いったい何年かかることだろう。

それにしても、病室が不意に暗くなったのはなぜだろう。まだほんの昼下がりだというのに……。

奇妙な脱力感のせいで全身が麻痺したように感じていたジュゼッペ・コルテは、力をふりしぼって、ベッド脇の小テーブルに置かれた時計を見る。三時半。

反対側に目をやった。すると、窓のブラインドが、まるで不可思議な力に操られるように、ゆっくりとさがりはじめ、光を閉ざしつつあるのが見えた。

同

物語はこうして終わりを迎えます。コルテは、もしかすると療養所に入る必要があるかどうかわからないくらいの、ただの軽い体調不良だった可能性もあります。それが、療養所のシステムに管理されているうちに気分が滅入ってしまい、実際に衰弱し、ついには死に至ったのです。

もちろん、コルテは当初からかなりの重病人であって、入院後に症状が顕在化するとともに悪化し、システムに則って段階的に移動した可能性もありますが、小説の描写を読む限りにおいては、療養所のシステムに身体を統制されるストレスが主人公の心身を蝕み、それが彼の病状を重くしていった、と解釈したほうが自然です。

病気や生命といった、本来システムに馴染まないものを、合理的にコントロールしようとする〝不合理〟が、かえって病状を重くしてしまう……。つまり、人間の心身が合理的なシステムの下で統制されることによって生じる悲劇を描いているのです。

新型コロナウイルスも、コントロールが極めて困難で、どのような合理的なシステムを構築したとしても、どこかに穴ができることは、いまや誰が見ても明らかです。それでも国や医療機関は、感染状況に応じたシステムをその都度、構築しては更新しなければならない。まるで「シーシュポスの神話」の罰のような繰り返しを重ねていく必要に迫られています。

管理システムは監獄のアナロジー

「七階」の療養所システムは、いうまでもなく現在の対コロナの医療体制の危機や医療崩壊の恐怖を想起させます。

そこで考えてみたいのは、ミシェル・フーコー（1926〜84）の『監獄の誕生』です。フーコーはパノプティコンという建築物を、社会における監視システムと権力の関係の比喩として考察しました。

パノプティコンとは、もともとジェレミー・ベンサム（1748〜1832）が考案した集団施設、主として監獄に使われる建築物をいいます。なお、ここで病院と監獄にどういう関係があるのかと疑問に思われるかもしれませんが、先に述べておくと、フーコーはあら

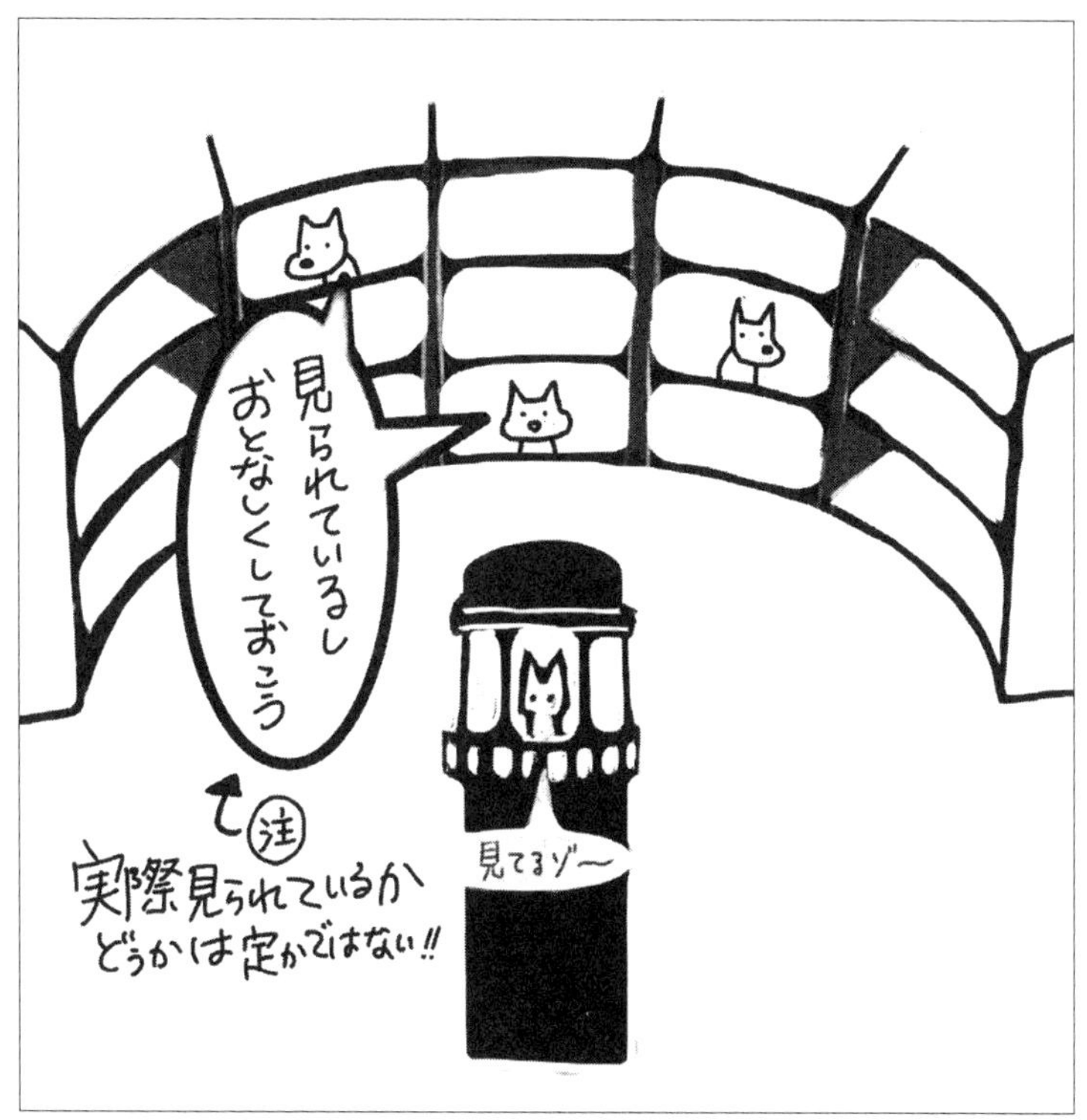

パノプティコン
ベンサムが考案した円形建築（集団施設）。工場、収容所、病院、学校にも応用が可能とされる。円形周囲に独房、中央に監視所と看守、独房と監視所の間は上から下まで吹き抜けになっている。ドームの天井は通常は開けられて明かり取りになっている。中央監視所の看守の姿は囚人からは見えない。囚人からは不可視の神の眼にさらされている感覚が生まれる。フーコーは、この建築を身体の訓練と習慣によって自発的服従が生まれる近代空間の例として語った（参考：『岩波哲学・思想事典』）。

ゆる管理システム（権力）を監獄との類比（アナロジー）で捉えているのです。『監獄の誕生』を読むと、フーコーが、なぜ監獄と社会のあらゆる管理システム＝権力関係を結びつけたのかがわかります。そのきっかけとなったのは、ペスト禍で統治された街の記録（古文書）でした。

ある都市でペスト発生が宣言された場合に採るべき措置は、十七世紀末の一規則によれば次のとおりであった。まず最初、空間の厳重な基盤割りの実施。つまり、その都市およびその〈地帯〉の封鎖はもちろんであり、そこから外へ出ることは禁止、違反すれば死刑とされ、うろつくすべての動物は殺され、さらにその都市を明確に異なる地区に細分して、そこでは一人の代官の権力が確立される。それぞれの街路は一人の世話人の支配下におかれて、その街路が監視され、もしも世話人がそこから立ち去れば死刑に処せられる。

ミシェル・フーコー『監獄の誕生―監視と処罰』田村俶訳

ペストが招きよせた事態とは、人々を一方と他方に区分する二元論的で集団的な分割であるよりむしろ、多種多様な分離であり、個人化をおこなう配分であり、監視および取締りの深くゆきとどいた組織化であり、権力の強化と細分化である。

同

ペストの時代が去ると、ペスト患者の管理のためのルールは、今度は、異常者を検知するためのシステムとして機能するようになったとフーコーは指摘しています。

異常な者を変えていくためであるかのように、それの目印を表示するために、そのまわりに今日なお配置されるすべての権力機構は、そうした技術と制度の遠い淵源である例の二つの形態（つまり、癩病とペストにまつわる）を組み合わせているわけである。

ベンサムの考えついた〈一望監視施設／パノプティコン〉は、こうした組合わせの建築学的な形象である。

同

＊

感染症は、その恐怖から、人々を感染者・非感染者に分断し、思考停止させます。異質なものを排除しようとする〝連帯感〟はパノプティコンという形で具体化されます。ただし、パノプティコンは、そのような単純な排除のための装置ではないというのがフーコーの考えです。

パノプティコンの内部に暮らす囚人（私たち現代人の比喩でもあります）は、監視者の視線を自身の精神に取り込み、「いつ見られているかわからない」という意識が個々の内面に架空の監視者を作り出すのです。

極端な話、もしも監視塔に監視者が存在しなくても、「見られている」という意識を囚人に持たせることは可能です。それが監視者の内面化です。たとえ監視塔が、ペラペラの板でできた張りぼての塔だとしても、囚人から「監視塔だ」と認識されるのであれば、囚人はそれを内面化して自身を統制するようになります。それゆえに、パノプティコンは多種多様に、個人に内在する形としても存在するのです。パノプティコンのような構造の社会システムを作り上げることにより、現代人は、権力者から管理しやすいコマとなるわけです。

というと、フーコーがまるでパノプティコンに関してネガティブな考えを持っているように誤解されるかもしれませんが、フーコーはそれを否定しているのではなく、「社会のどんな成員でも〈その装置へ〉やって来て自分の目で、どんなふうに学校や病院や工場や監獄が機能しているかを確かめる権利」があることと、パノプティコンが「変質して専制状態におちいる心配はない」とも述べています(同)。

なぜならパノプティコンの仕組みは、完全に閉鎖されているように見えても、外部からの巡察を受け入れることができるからです。公衆の側からも、どのような仕組みで管理されているのかを確認できる体制ができているのであれば、パノプティコンが独裁政治的な機構になることはありません。つまり、公衆が、監視者側を監視すればよいのです。

そのような機能によって、フーコーはパノプティコンが、土牢のようなものから「透明な建物」（同）になる可能性すら示唆しています。

しかし、それは単により良い共生を示すものでもないのです。むしろ、お互いがお互いを監視するような関係性にもなりえるわけです。

権力なき自粛警察（自警団）

フーコー（1926〜1984）

2020年10月の現在、「GoToキャンペーン」なる経済活性化への動きが目立つようになりましたが、同年5月の時点では、国、行政、医療、ムラ社会的な自警意識、マスメディアの報道、SNSなどが絡まり合い、混乱を来していました。

フーコーが『監獄の誕生』において例に挙げたペスト禍の事例では、法官の権威を絶対化する目的で設置された「都市の城門や市役所やすべての地区にいる巡察隊」の存在が明らかにされていますが、コロナ禍では、権力を持たない一般市民の自警団（自粛警察）が突発的に国内各所に生まれました。

たとえば、ツイッターで、「ある人がロックダウン中の海外の都市に観光に行っていた」などと個人のプライバシーを晒すような行為や、営業自粛しない店舗への嫌がらせなどが典型的な自粛警察です。また、「この地域はこのように人出が多い、困ったものだ」と、街角の画像や動画をネットにアップロードするのも同様ですが、この場合、「監視している個人」は「街に出ている群衆の一人でもある」という自己言及的な矛盾があるのです。

フーコーは、「人間」とは、平常時にあっても有時にあっても、政治的なものと切り離すことができない存在だと指摘しています。

以下では、さらにフーコーの人間観を見ていきましょう。

人間とは何かをフーコーと『紅楼夢』で考える

フーコーの人間観は、時代や社会ごとに「知の枠組み（エピステーメー）」が変化しうることを人々に再認識させることを前提とします。ここでの「知の枠組み」をわかりやすく説明するために、清代に書かれた中国の小説『紅楼夢』を取り上げましょう。

『紅楼夢』では、物質と人間の境界線が極めて曖昧です。混沌とした世界の中に神話と現

中世からフーコーに至る西洋の「知の枠組み」

実、物質と人間が境界線なく存在していて、読み進めていくうちに、私たちが人間だと思っているものの輪郭がぼやけてきて、最初に読んだ時は、まるで状況が呑み込めません。特に石から人間が生まれるイメージは古代中国の儀礼をベースにしたもので、中国の神話においては「物質」と「物質以外」を明確に線引きしていなかったことがわかります（ジン・ワン『石の物語』廣瀬玲子訳）。

もっともこれは清代の中国に限ったことではありません。他の文化圏においても、神話的世界と現実は混じり合っていました。

たとえば西洋の中世哲学においても、人間と天使と神は不可分な関係にありました（前ページ図の①）。それは、いったんはデカルト（1596～1650）の「われ思う、ゆえにわれあり」という自己反省の作用によってリセットされました（同②）。「人間」という存在が科学的にも人文学としても、明確に規定されたのは19世紀以後に過ぎません。

フーコーは、人間が神の存在と明確に分けられたのはニーチェ（1844～1900）の哲学によるとしています（同③）。ここから新しい人間概念が始まるとフーコーは考えたのです。

そのうえで、人間を統制しているシステムを、「パノプティコン」概念を通じて可視化し、改めて哲学をスタートさせようとしたのがフーコーでした（同④）。

『紅楼夢』には中国古代神話の女神「女媧（じょか）」が登場する。これは蛇女だ。序章を思い出してほしい。蛇女は、キリスト教やユダヤ教の世界では、人間をそそのかしたサタンや、夢魔リリスを想起させるモチーフだが、中国の女媧は天地をメンテナンスして人類を創造した神とされる。知の枠組みが違うと、善悪は簡単にひっくり返ってしまうのだ。

セールスマンの変身

「七階」の主人公は、パノプティコンのような療養所から脱することもできず、その権力機構を内面化し、自滅するように死を迎えました。

ここで取り上げるのは、身体がどのような形になっても、人間としての核を喪失しなかった主人公を描いた物語、カフカの『変身』です。あまりにも有名な作品ですが、便宜上、ストーリーを振り返ってみましょう。

主人公グレーゴル・ザムザは、布地のセールスマンです。彼は家族を養うために仕事に縛られています（自己啓発に勤しむ〝意識の高い〟ビジネスマンではありません）。

ある朝、彼は巨大な虫に変身し、自室から出られなくなります。当然、仕事にも行けなくなるのです。妹は彼を気遣いますが、両親は虫になった彼を忌み嫌い、特に父親は暴力的に振る舞います。変身したグレーゴルは、食の好みも変わり、虫らしく壁を這い回ります。

グレーゴルという働き手を失った家族は、収入確保のために三人の紳士を住居に住まわせることにします。紳士たちのために、グレーゴルの妹がヴァイオリンの演奏を披露した際、ついその音色につられて、彼らの前にグレーゴルが姿を現わします。紳士たちは不気味な生き物（虫）が同じ家にいることを不愉快に思い、契約を解除して家を出ます。その出来事を境にグレーゴルの家族は、グレーゴルを「これ」と呼んでモノ扱いするようになります。

グレーゴルの死は、父親が投げつけた林檎が背中に当たり、それがめり込んだまま手当てもされずに放置されたことが決定的な要因となるのですが、家族の気持ちを察したグレーゴルの緩やかな自殺（絶食による自殺）ともいえます。

この物語にはさまざまな解釈があって、「虫」は居場所を無くした現代人の姿だとか、引きこもり（出社拒否）だとか、社会からの落伍者だ、異常者のたとえだ、喜劇だ、などとも言われます。ある批評では、その後のナチの台頭とユダヤ人の迫害を予見するものという見方もあります（カフカはユダヤ人です）。

いずれの解釈も興味深く、『変身』という世界文学の多面性に驚かされますが、ここでは、グレーゴルの変身は、監視（管理）社会から脱するためのある種の〝救い〟（解放）だったという読み方をしてみたいと思います。

虫の死

変身後のグレーゴルは、人間の常識や世間の目から解放され、一匹の虫として壁を這い回ります。それでも彼は家族への愛にあふれ、自分を邪険に扱った家族のことを想いながら安らかに死んでいくようにも見えます。主人公が虫に変身するという衝撃的な内容に隠れて見逃されがちですが、「瞑想状態において教会の時計の音を聴きながら逝く」シーンからは、宗教的な救いすら感じます。

感動と愛情とをもって家の人たちのことを思いかえす。自分が消えてなくならなければならないということにたいする彼自身の意見は、妹の似たような意見よりもひょっとするともっともっと強いものだったのだ。こういう空虚な、そして安らかな瞑想状態のうちにある彼の耳に、教会の塔から朝の三時を打つ時計の音が聞こえてきた。窓の外が一帯に薄明るくなりはじめたのもまだぼんやりとわかっていたが、ふと首がひとりでにがくんと下へさがった。そして鼻孔からは最後の息がかすかに漏れ流れた。

カフカ『変身』高橋義孝訳

変身した後のグレーゴルが、人間性を残していたことについては、ヴァイオリンの音色に惹かれて、自分の姿も省みずに思わず顔を出してしまう、音楽への感受性で証明されるように思います。グレーゴルが居間に這い出たのは、三人の間借人の紳士が、妹の奏でる音楽に飽き飽きとしていた様子に心を痛め、いたたまれなくなった、という理由もありました。

実際だれがどう見たって、みごとなあるいは愉快なヴァイオリン演奏を聞こうという期待を裏切られ、あきあきしてしまい、ただ非礼にわたることを避けようという気持ちからしぶしぶ聞いているにすぎないということは明々白々であった。ことに三人が煙草のけむりを鼻や口から上へ吹きあげる様子は、人にこの三人がひどくいらいらしていることを推測させた。だがしかし妹はじつに美しくひいていた。顔を片方に傾け、目は吟味するように、もの悲しく楽譜の行を追っている。グレーゴルはさらに少々にじりでた。そして床にぴったりとついてしまうほど頭を低く下げた。できることなら妹の視線をとらえようというのである。音楽にこれほど魅了されても、彼はまだ動物なのであろうか。

同

そんなグレーゴルと比較して、音楽に何の感動もできない紳士たちは、はたして人間といえるのか？　ふとそんな疑問も浮かびます。掌返（てのひらかえ）しをした家族たちにしてもそうです。グレーゴルの母親は、父親がグレーゴルの背中に林檎を投げつけた際に、グレーゴルのために命乞いしたほどでしたが、やがてその存在を疎ましく思うようになります。

妹もまた、兄への愛を失い、自らと家族の将来のために「虫になった兄」を捨てる決意をします。特に、この17歳の妹の「変身」に着目すべきだと思います。彼女は、兄を見捨てた途端に、女性として成熟したかのような外見に変貌します。

> ……ザムザ夫妻は、しだいに生きいきとして行く娘のようすを見て、娘がこの日ごろ顔色をわるくしたほどの心配苦労にもかかわらず、美しい豊麗な女に成長しているのにふたりはほとんど同時に気がついた。ザムザ夫妻は、しだいに無口になりながら、また、ほとんど無意識に目と目でうなずきあいながら、さあそろそろこの娘にも手ごろなお婿さんを捜してやらねばなるまいと考えた。降りる場所に来た。ザムザ嬢が真っ先に立ちあがって若々しい手足をぐっと伸ばした。その様子は、ザムザ夫妻の目には、彼らの新しい夢とよき意図の確証のように映った。　同

ある意味で、グレーゴルの変身よりも、妹のこの変身のほうが、恐ろしいのではないでしょうか。変身する前のグレーゴルは、誰よりも妹のよき理解者であり、兄妹で夢（妹が音楽学校に入ること）を語り合ったりしていたのです。

なるほど、家族の一員が虫に変身してしまったら、それはあまりにも突飛な体験です。それは私たちの想像を絶する苦痛を家族にもたらすでしょう。肉親の情愛などというもの

が、いかに脆いものであるか……。家族という親密な関係が、親密であればあるほど、容易に異質なものを排除する。そこでは、虫に変身してしまった長男への配慮などというものは、急速に失われていく。残された家族が、〝普通〟にこれまで通りの生活を維持するためには、長男は〝やっかい者〟に他ならないからです。長男が変身してしまったことで、父も母も、妹も変身せざるをえない。

すなわちタイトルの「変身」とは、グレーゴルの「虫」への変身を描いているだけではなく、成人の身体へと変貌を遂げながらも〝人間らしい心〟を捨ててしまったグレーゴルの妹の変身、骨肉の息子に対して〝無償の愛〟を捧げるべき母の変身、父の変身を指しているのです。

ザムザ家は、息子が虫に変身してしまった〝特殊な家族〟ではありません。

〝普通〟とは何か？

〝特殊な家族〟とは何か？

〝人間らしい心〟とは何か？

父母の〝無償の愛〟とは何か？

そんなものは、確固として存在するのでしょうか？

心身二元論を否定する物語

さて、カフカの『変身』を読んだ後で、もう一度、189ページの「知の枠組み」の図について考えてみると、また違ったものが見えてきます。

デカルトの心身二元論は、人間を科学的に考えるための土台として機能しましたが、身体に関する考察が十分ではなかったのではないか？　哲学と小説を単純に並べて語るわけにはいきませんが、『変身』は、心と物質的な身体を明確に分けるデカルトの二元論を皮膚感覚で否定するような物語です。身体が人間ではないものに変容し、脳だけが人間のままに残されたグレーゴルは、身体が変容することによって快・不快の基準や幸福のあり方が変わっていることに気づきます。グレーゴルは気晴らしとして、壁や天井を這い回ることを快く思い、もしくはほとんど幸福だと思うようになるのです（強調の傍点は内藤）。

> …四方の壁や天井を縦横十文字に這いまわるという習慣をつけて気晴らしをした。ことに天井にへばりついているのは気持ちがよかった。床の上に這いつくばっているのとはよほど趣がちがう。息も楽にできるし、軽い振動が体じゅうに伝わる。グレーゴルは天井にへばりついていて、ほとんど幸福と言ってもいいほどの放心状態におちいり、不覚にも足を

離して床の上へばたんと落ちて、われながらそれに驚くこともよくあった。しかしながらいままでは言うまでもなく以前とはちがって自分の体を意のままにすることができるので、そういう大墜落をしても怪我はしなかった。　同

その一方で、音楽に対する感受性と家族への愛だけは変わることがなかったのです。身体と精神の結びつきは複雑かつ緊密であり、心身二元論のように割り切ることには躊躇してしまいます。それでいて「不変のもの」が存在している。グレーゴルは虫であっても、〃人間〃なのです。

『変身』は人間の定義を問い直しているのではないでしょうか。

芸術的感性は人間らしさの証明ではない

物語の中でグレーゴルの〃人間らしさ〃の証しとして描かれた音楽への感受性にも、いささか疑問を感じずにはいられません。

そもそも芸術は、〃人間らしさ〃の枠組みに収まりきるものなのでしょうか。

第1章で取り上げた芥川龍之介の「地獄変」は、主人公の絵師が非道のはてに、大傑作を描き上げるという物語でした。芸術的な感性の高さが人間的な倫理性を担保することに

はならないのです。「音楽にこれほど魅了されても、彼はまだ動物なのであろうか」というカフカが物語中に発した疑問は、音楽への感受性の豊かさが人間性の証しという方向に誘導されがちではありますが、ここでもう一歩踏み込んで考える必要があるでしょう。

加えて、芸術の作り手と受け手では、違う感受性を必要とすることも忘れてはなりません。作り手が現世的なものを超えた世界にアクセスして作品を創造するのだとしても、受け手（聴衆、鑑賞者）が作り手と同じレベルの芸術性を持ち合わせている必要まではないのです。

これについては、受け手にも資質を必要とするという主張をしているドイツの音楽批評家のアドルノ（1903〜69）のような人もいます。受け手にも「本質的なもの」をキャッチするだけのアンテナが必要だというアドルノの主張はある程度は理解できます。

しかし、音楽を聴くためのアンテナを持っていることと人間性の証明は、これまた別の問題なのです。

映画《レオン》（監督リュック・ベッソン、1994年）はじめ、サイコパスの悪役がクラシック音楽愛好家という設定のドラマや映画は複数あり、それらの設定が何の不自然さもなく受け容れられているということは、私たちは芸術的感性と人間性がなんら関係ないことを直感していることに他ならないでしょう。

フランツ・カフカ（1883〜1924）

だとすれば、人間であることの証明とは何か。その問いには、現在もまだ答えが出ていません。それこそが、フーコーが投げかけた「知の枠組み」に関する問いだといえましょう。

現在（2020年10月）のコロナ禍において、感染した人も感染を免れている人も、どちらも「知の枠組み」を変えていく必要に迫られています。

それはなにも、私たちが虫のようなものに変態するべきだという話ではなくて、これまでのアイデンティティ、健康という概念、〃人間らしい〃とされる日常生活、倫理観などを別の枠組みに組み替えていかなければ、この先の時代を生きていけないのではないかということなのです。

COLUMN

コラム

「信じる」とはどのようなことか ブッツァーティ「神を見た犬」

本章の冒頭で取り上げた「七階」のディーノ・ブッツァーティは新聞記者出身であり、社会批評も手がけるなど、ミクロな事象の中にこそ物事の本質が潜んでいることを、物語を通じてあぶり出すことに長けた作家です。

特に宗教の本質を突いたといえる短篇「神を見た犬」は、「信仰の対象とその象徴性」「民俗的な信仰はどのように始まるのか」というテーマとともに、「人間が抱くイメージというものの危うさ」を扱った傑作中の傑作です。

ストーリーをご紹介しましょう。

パンを盗んだ犬は「神を見た犬」と同じ犬なのか？

主な登場人物は、パン屋の叔父スピリトの莫大な遺産を相続する予定のデフェンデンテ、ボロボロの姿で修行する隠修士（一般社会との交わりを絶ち、信仰生活を送る隠者）、彼にパンを届ける犬の三者です。

デフェンデンテは、遺産相続の条件として貧しい人々に毎朝パンを無料配布するという課題を伯父から背負わされています。そこに、ある一匹の犬がやってきて毎朝パンを盗むようになります。あとをつけてみると、その犬は隠修士にパンを運んでやっており、彼らは固い絆で結ばれているようでした。

その後、しばらくして隠修士は凍死してしまい、亡骸（なきがら）は埋葬されることになります。彼と仲の良かった（ように見えた）犬は二週間後、飢えてガリガリになった姿で村に姿を現わします。しかし、三日後、犬はすっかり復活し、見違えるように健康になり、村を元気に歩き回るようになります（ただし、これらが同じ犬かどうかは明らかではない）。そんな犬の様子をどこか忌々しく思ったデフェンデンテは、泥棒退治にかこつけて、猟銃で撃ち殺してしまいます。

ところが、そのようなことがあったにもかかわらず、しばらくすると犬は撃たれる前のままの姿で悠々と散歩するようになるのです。ここで注意深い読者であれば、これらの犬は同じ一匹の犬なのかと訝るでしょうが、死から復活したというイメージを獲得した犬は、村人から「神を見た犬」と畏れをもって見られるようになります。この出来事は村人たちの信仰心に影響を及ぼし、教会のミサに参列する者は増え、教会へ通うこともなかったデフェンデンテも行動を改めるようになります。

時は経って、この神を見た犬も、ついに足腰が弱ってきました。人々は犬に食べ物を運ぶようになり、死んだ際には、丁寧に弔いをしようとします。村人たちは、この犬はもともと隠修士の犬なのだから、墓に一緒に葬ってやろうとして犬の亡骸を隠修士の墓まで運びます。しかし、そこで思わぬ発見があるのです。墓には、隠修士に寄り添うようにして、犬の白骨が横たわっていたのです。つまり、隠修士の犬はずいぶん前に死んでおり、その後で目撃された二匹の犬は、それとは別の野良犬だったということが判明するのです。

「神を見た犬」は、俗信が村の人々のキリスト教の信仰を底上げするというストーリーだと読むことができます。民俗的な信仰の力こそが創唱宗教（特定の人物の教えを広める宗教）を下支えするというのは、メキシコのグァダルペのマリア（聖母マリアを目撃したという男性によって独自の信仰が生まれた）をはじめとして、日本の仏教の広がりにも通じる話です。

「神を見た犬」の犬たち
犬Aは犬A'と同じ犬なのか？　犬A"は犬A、犬A'と同じ犬なのか？
犬A"と犬Aのつながりは一応、否定できるように書かれてはいますが、答えは出ません

神か？　勘違いか？　悪魔か？

日本において仏教が広まったのは、神仏習合はもちろんのこと、民俗と仏教の習合がうまくいったからという側面があります。日本の寺社仏閣でよく見るのは、「この石仏に塩を塗れば病気が治った」だとか、「この石を持ち上げて軽く感じれば願いが叶う」だとか、そういった俗信が息づいている様子です。こうした民俗的な信仰については、その始まりがはっきりしないことも多いのですが、それは些細な出来事であったり、ちょっとした偶然であったり、時には迷信や錯覚などが影響していることでしょう。たとえば、江戸時代に「海に出た化け物」「妖怪が現れた」として絵画に遺されているものを見ると、どこからどう見てもただのアザラシやアシカだったという笑い話があるように、拍子抜けしてしまうようなケースもあります。未知のものを怖がる心理があるから、初めて見た動物を化け物と思ってしまうのです。

そのような「見る者の心」と動物の存在が重ね合わされた現象として「神を見た犬」を読んでみましょう。

犬の死からの〝復活〟（右図A'）と犬の〝聖化〟（同A''）は、村人が、死から復活するキリストの姿をそこに重ね合わせたという側面があったからでしょう。それは村人の信仰心が薄いからというわけではなく、むしろ、篤い信仰心があったからこそ、そのように見えた可能性があるということです。

動物や無生物を神格化する呪物崇拝と、創唱宗教は別のものだと思われがちですが、多くの創唱宗教が現在まで伝わっているのは、民衆の素朴な信仰心と民間信仰のカオスが根底にあるからでしょう。迷信を明確に否定するプロテスタントですら、「魔女狩り」を盛んに行なっていました。

フランスのルルドの泉（病気治癒）や、世界各地で報告される血を流すマリア像など、そういったグレーゾーンの存在が、現在まで創唱宗教の信仰を伝えるパワーになりました。もしかすると自然の擬人化こそが宗教を宗教たらしめる力であるかもしれず、「神を見た犬」は、基本的にはそういったニュアンスを物語化したものだと思います。

むしろ私たちが試されている

しかし、この話にはもう一つの裏がある可能性もあります。

そもそもゲーテの『ファウスト』では、黒い犬は悪魔（メフィストフェレス）が化けた姿として描かれていることからして、黒い犬に変身した悪魔に一杯食わされた話としても読むことができるのです。

つまり、村人たちがあまりに不信心であるために、悪魔に試されたという解釈です。もちろん、神を見た犬の話として、ストレートに読むことも無理なことではありません。「神を見た犬」では村人だけではなく、読み手の私たちも試されているのです。

読み手の信仰心に応じて、神の話としても、悪魔の話としても、村人たちの素朴な信仰心の話としても読むことができるからです。

物語がこのような多義性を持っていることが、「神を見た犬」の魅力の一つでもありますが、この物語をお勧めしたい理由は、それだけに留

神を見た犬はメフィストなのか？

まりません。

この作品は、一つひとつのシーンが映画のワンシーンのようで、読者は魔術にかかって「その場面」を観ているような、奇妙な感覚を覚えることができます。

読んでいるうちに淡い霧に包まれて、ふと見回せば、舞台となっている村に立っており、すぐ目の前を黒い犬が通り過ぎているのを見ているような、そんな摩訶不思議な感覚を覚えることでしょう。

ブッツァーティは作家であると同時に、幻影を巧みに操る魔術師であると思うのです。

メフィストの呟き

ここで究極の20世紀不条理文学と評価される作品を紹介しておく。

サミュエル・ベケットの戯曲『ゴドーを待ちながら』がそれだ。ベケットはとんでもない。見た目もスーパーサイヤ人みたいだ……。なんせ、腹筋が6つに割れている。でも、作家で腹筋が6つに割れている必要があるのか?

そんな超人ベケットの『ゴドーを待ちながら』は、物語自体がいつまで経っても始まらない。学ぶものもない。教訓もない。ただただゴドーってやつを待つだけ。哲学を終わらせたのがウィトゲンシュタインなら、文学を終わらせてしまったのはベケットではないだろうか。ゴドーとは神のことを指していると思うが、これが、全然現われない。神はたぶん永遠にこないし、悪魔もこない。ゴドーからの伝言を預かる人物も、事情がわかっているのか、わかってい

サミュエル・ベケット（1906～1989）

ないのか曖昧なままだ。

もしかしたらゴドーは後藤という人物である可能性もあるが、後藤にせよゴッドにせよ、重要な「何か」は決して現われない。

文学を終わらせたベケットの冷徹さに比べたら、ブッツァーティの「神を見た犬」は、ほっこり心温まる話にすら思えてくる……。

第

章

半年後に世界が終わるのに、刑事はなぜ執念の捜査を続けるのか？

——ウィンタース『地上最後の刑事』

ベケットはノーベル文学賞を受賞した。彼は、文学にも神にも悪魔にもとどめを刺した超人だ。でも、メフィストは死にはしない。どこでも生きていける。SF、マンガ、ドラマ、映画など、悪魔の活躍の場はいくらでもある。ルシファーも、ゲーム「女神転生」シリーズ、キアヌ・リーブスの映画、ネットフリックスのドラマなど、出演依頼は引きも切らない。アニメやラノベも居心地がいい。純文学から悪魔は追い出されてしまったが、エンタメ世界では相変わらず多忙を極める。

個人の死と人類の死

これまで文学作品を通して「人間の死」を考えてきましたが、それらは「個人の死」でした。哲学や思想、宗教の起点には、言うまでもなくこの個人の死と、死の絶対的な不安があります。「死を忘れるな」という戒めや、「死と太陽は見つめられない」という死の不可解さを説いた格言は、いかなる個人も逃れられない死の絶対性とその深淵を示しています。拙著『「死」の哲学入門』でも述べたように、偉大なる哲人たちですら死の恐怖はなかなか克服できないものでした。

「死の絶対性」は決定的であるにしても、一方で「個人の死」には、命を次世代へつなぐ希望があると考えることもできるかもしれません。個体が失われても、その人の生きた証しとして子孫や仕事、芸術や思想などを次世代に継承し、人類や帰属集団（国、郷里、会社、さまざまなクラブ、同志、コミュニティなど）の一員として未来に希望を託す、という考え方もできます。リアルな死を前にしたとき、こういう考えが本当に有効なものなのかどうかは、定かではありませんが。

だからこそ、死とは常に「他人の死」であり、「私は死を体験できない」と先人は考えたのでしょう。

では、ここで、近い将来に人類が滅亡すると判明したらどうでしょう。名著を書き残しても本は灰と消え、師匠が弟子に技能を伝えても、ともに息絶えてしまう。人類という種の滅亡を前にして、人間は生きる意味を見出すことができるのでしょうか。

「死」を哲学した先人たちも、自らの問いとその答えが、次世代に限らず未来の人間にとって有益な真理を蔵しているに違いないと考えたはずです。だからこそ、ソクラテスのような一部を除いて、それを「本」にして残したのです。それもこれも、次世代にも絶えることなく人間世界が存在していることを前提にしています。

第7章で取り上げた哲学者フーコーは「人間の終わり」を主張しましたが、それは、近代に確定した人間の概念が別のものに変わってしまったことを指摘したのであって、人類の絶滅を想定しているのではありません。ハイデガーも「個の死」を基礎に据えて実存主義を構築しましたが、人類の滅亡を起点にして人間とは何かを考えた哲学者はほとんどいません。

とはいえ、あえて一人だけ挙げれば、ピエール・テイヤール・ド・シャルダン（1881〜1955）がいます。彼は後述するアンリ・ベルクソン（1859〜1941）から強い影響を受けつつ、独自の思想をSF的ともいうべき宗教的幻想にまでふくらませました。

シャルダンの描いた世界の終わりは、人類の叡智が統合され、最終的に宇宙キリストが出現するというものでした。

私がシャルダンの思想に出合ったのは、大学院の宗教哲学の講義でした。当時、「まるでアニメ《新世紀エヴァンゲリオン》の人類補完計画のような思想だなぁ」と思ったことを覚えています。「人類補完計画」とは、すべての人間が人間としての形を保つことをやめて一つになるというものです。シャルダンの思想は哲学というよりも、SFファンタジーのような側面が色濃く、幻想的なヴィジョンに酔っているという印象は否めません。

ここにシャルダンとも違う、人類滅亡の設定を刑事ドラマに仕立て、なおかつ私たちの人生の意味を問いかける小説があります。

それがベン・H・ウィンタースのハードボイルド・SFミステリ小説『地上最後の刑事』

ベン・H・ウィンタース（1976～）

です。

ウィンタースは１９７６年生まれのアメリカ人作家で、同作でエドガー賞を受賞しました。さらに、シリーズ第二作『カウントダウン・シティ』では、フィリップ・Ｋ・ディック賞を受賞。ミステリの始祖エドガー・アラン・ポーとＳＦの鬼才フィリップ・Ｋ・ディックを、それぞれ顕彰する文学賞をダブルで受賞しているところに、ウィンタースという作家の独自性があるといえそうです。

人類の滅亡とは、「この私」の死でもある

小説の主人公はヘンリー・パレス。アメリカ合衆国のコンコード警察署犯罪捜査部成人犯罪課の刑事で、彼には特技や特別な能力があるわけではなく、足で稼ぐ愚直な捜査が身上です。すでに「ＳＦミステリ」と指摘したように、この小説は設定が独特です。半年後に小惑星が地球に衝突して人類は滅亡するという限界状況での刑事ドラマなのです。パレス刑事はそのような渦中にあっても、淡々と事件の捜査を続けます。そんな彼の姿は周囲

には異様な姿として映ります。

異様な姿？　要するに〝浮いている〟のですが、考えてもみてください。半年後に人類が絶滅するとわかっているわけですから、捜査をして容疑者を逮捕することに何の意味があるのでしょうか？　法的正義の実現でしょうか？　自らの公務に対する忠誠と、責任をまっとうしたいという気持ちでしょうか？

そんな主人公が、自殺が死因だと思われる遺体を前に、他殺を疑うところからこの小説は始まります。パレス刑事は遺体に見られる小さな違和感（首吊りに使われたベルトが、身元に比べて高級品だったこと）に着目するのです。

どうせ死ぬのになぜ生きる？

なぜパレス刑事は職務をまっとうしようとするのでしょうか？

たとえ殺人罪で犯人を逮捕したとしても、半年以上の懲役にすることはできないのです。全人類が死刑宣告を受けているような状況の中で、なぜ主人公にはそのようなことができるのでしょう？　パレス刑事は、追って説明するようにさまざまな事情を抱えた孤独な男ですが、それにしても奇妙です。この設定には、人間の行為というものに対する深い問いがあるように思います。

多くの同僚たちも、彼を奇異な目で見ています。公務に遵ずるといえども、彼自身の人生観はどういうものなのでしょうか？　公僕としての刑事に限らず、職務にどれだけ真面目に向き合う者であっても、明日があり、未来があると考えるからこそ、任務に邁進できるのではないでしょうか？

『地上最後の刑事』は、私たちが日ごろ、どうにかこうにか神経を麻痺させ、忘れている死の不安を炙り出し、虫めがねでそれを再確認するような作品です。究極的にこの主題を煎じ詰めていくと、この問いが浮かび上がってきます――どうせ死ぬのになぜ生きる？

個としての「私」は、いずれ死を迎えます。50年か、80年か、100年か、余命は誰にもわかりませんが、それゆえに多くの人は「死を忘れて」今日を生きています。ハイデガーが指摘した「先駆的決意」とは、この死の忘却を諫めたものといえます。

ところが、この小説は、半年間、一刻（いっとき）も「死を忘れる」ことができない状況を設定したのです。極限状態に身を置かざるをえない小説の登場人物たちの死生観は、自殺を除けば、おおよそ三つのタイプに分けられます。

人類滅亡を前にした三つのタイプ

人類が絶滅するとわかっていても、正気を失わず淡々と職務をまっとうする主人公パレス

刑事――タイプ①

死を前にして、残りの生を刹那的に消費しようとする多くの人たち。死ぬまでに何をするかをリストアップする者もいる――タイプ②

現実逃避に走る人たち――タイプ③

タイプ③は、狂信的な宗教に逃避するタイプと、地球からの脱出劇を夢見るタイプに大別できます。後者に関しては、地球から脱出して生き延びるという映画が大盛況となるなど、「幻でもかまわないから、一刻の希望にすがりたい」という空気が根底にあって、パレス刑事の妹ニコはそうした集団催眠に取り憑かれています。彼女は映画と現実の区別もつかなくなって、「月へと脱出するための秘密施設が存在する」という妄想に耽ります。そのSF的な狂気は〝精神的パンデミック〟ともいえる拡大を見せ、地球脱出を目指す結社のようなものすらも形成されるのです。

こうした現実逃避に慰めを見出せない者の多くは、自殺を選びます。小惑星衝突を座して待ち、その恐怖に耐え、苦しみながら死ぬよりは、自らよりマシな死に方を選ぶというのは理解できなくもありません。

そのような選択をする彼らと断絶し、我が道を行くのが、主人公ヘンリー・パレスです。彼は禁欲的なまでに職務に打ち込みます。その理由を考えてみるに、主人公は早くに母親を殺人事件で、父親を自殺で失ったことが関係しているかもしれません。両親の死は、パレスにとって、すでに人類の滅亡に等しいほどの衝撃をもたらしていた可能性もあります。彼にとって、平穏無事な日常とは、とうに失われていたものなのです。日常が崩壊した中で職務を淡々とこなすことは、かねてより彼の日常そのものになっていたのでしょう。そんな彼にとっては、半年後に人類がどうなろうが、同じことだったのかもしれません。

しかし、同じ生い立ちであろう妹のニコは、地球からの脱出（の妄想）に一縷の望みをつないでいます。冷静に考えれば、政府関係者でもない一般人の彼女が、そんな特別な待遇を得られるわけもないとわかるはずです。彼女自身もそれを自覚しているのかもしれませんが、それでも妄想を捨てることはできません。妄想を手放したが最後、彼女は生きる気力を失ってしまうのかもしれません。無限の可能性があるという妄信を抱え込むことでしか絶望を乗り越えられないという絶望、すなわちキルケゴールが言う「絶望」の一つにおちいっているのです。

絶滅を前にした人々の弱さと、凡庸でも平常心のままであり続ける主人公パレスが、まるで別の世界を生きているかのように克明に描かれます。

映画やマンガで描かれる世界の終わり

『地上最後の刑事』と似た設定の映画作品に《メランコリア》(監督ラース・フォン・トリアー、2011年)があります。

人類滅亡の主題が詩的な美しさにまで昇華された本作は、ヒロインとその姉、姉の息子が爆死するシーンまで描き切り、作品の圧倒的な熱量につながっていますが、なにより特筆すべきは人物の心理描写が精緻な点です。

とりわけ、もともと鬱病だったヒロインが、人類滅亡を知ってからは精神的に落ち着き、逆に問題のなかった姉が、ひどく狼狽してしまう様子が交差するシーンは、危機における人間心理の妙を描いて間然するところがありません。

藤子・F・不二雄のマンガには「地球最後の日」(初掲載1970年、『モジャ公』シリーズ)があります。これはおそらく、1951年の同名映画へのオマージュなのでしょう。

このマンガでは、地球滅亡の危機は、悪徳宇宙人が仕掛けた不安ビジネスだったというオチがつくものの、「惑星の衝突によって地球が終わるのではないか?」と世界中がパニックになる様子――カルトな新興宗教の台頭と各地での暴動、自殺の多発など――がリアルに描かれます。日常生活の描写も秀逸で、主人公の家族が「今月は電気代を払わなくていいわね」「お茶でもいれましょう」などと、諦めと自嘲が入り混じる会話をしている様子には、独特のユーモアがあります。

この藤子マンガと『地上最後の刑事』にともに描かれているのが、世界の終わりを前にして、社会に急速にアナキズムとカルト宗教が拡大していく様子です。

藤子作品は子ども向けマンガということもあって、『地上最後の刑事』に特徴的に描かれている世代を問わず自らの快楽に耽る姿は見られません。

他方、『地上最後の刑事』で描かれる世界の終わりの顕著な特徴は、ありとあらゆる薬物の使用が増加することです。快楽の追求と不安緩和の両方の用途があるでしょうが、それら薬物依存で、終末の世界をやり過ごそうとする人々が増えるのです。

性にも開放的になり、露出癖を大っぴらにして局部を曝け出してうろつき回る人の姿も描かれます。「どうせ半年後にみんな死ぬ」という絶望が、社会的な縛りを解き放ってしまうと、多くの人々の本性が露骨になります。自暴自棄におちいってしまうのです。

半年後にみんな死ぬ。そんなSFの舞台は悪魔のパラダイスだ。社会そのものが崩壊したら、人間はペルソナをつけて演じる必要もなくなる。そうすると影の人格が表に出てくるだろう。それは人間の最も醜い姿だ。でも、そんな人間の姿を見せるのが文学の役目だろう。シェイクスピアは「きれいは汚い。汚いはきれい」と言った。表は裏。裏は表。そういう人間の姿を描いた作品は、時に陰惨でやり切れないだろうが、人間にとって不可欠なものなのだろう。光は影の濃さで決まるのだ。

自暴自棄におちいる人々とはまったく違って、パレス刑事の行動は生からも死からも超越した禅僧の作務のようなものだと感じられます。禅僧が掃除の最中に悟りを得るように、彼は目の前にある小さな捜査を修行としているかのようです。たとえ世界が半年後に終わろうとも、不安に心を囚われず、こだわりをきっぱり捨て、あるがままの現在を受け容れる（あるいは、目の前の捜査にこだわり抜く）。そのような心持ちを読み取ることもできます。

こうしたパレスの態度をどう考えるかは、読者に託されています。この小説には、主人公の行動をどう捉えるかによって読み手の隠された死生観が掘り起こされるという側面すらあります。世界の終わりに直面して自殺を選択する人からしてみれば、パレス刑事の行動は「どうせすぐ死んでしまうのになぜ面倒な捜査などするのか？」となるでしょうし、刹那的な快楽に溺れる人からは、残り少ない時間を無意味な捜査に浪費しているように見えるでしょう。自分だけは救われると信じる現実逃避型の人たちから見れば、夢も希望もなく、なにも考えていないロボットのような人間にしか見えないでしょう。

人類のお墓を残そうとする夫婦

『地上最後の刑事』のエピローグでは、ある老夫婦の死生観が、主人公の目を通して描かれます。そこにこの作品の答えを見出すことができるように思います。

老夫婦は人類の滅亡を現実として受け容れ、それでも前向きに文化を継承する（異星人に発見されることを想定した「人類の足跡」を残す）ことを考えます。

彼らは金属製の球の中に人類が生きた証しとなるものを封じ込め、地球が爆発してもその球がタイムカプセルとして後の世界に残るように計画するのです。人類の滅亡が迫った時に、できることは限られています。せめて、人間がかつて存在した証しを残したいと考えたのです。

車庫の作業台に、直径一メートルくらいの簡素な金属製の球体が置いてある。タリー夫人によれば、球体の外側の層はチタンでできているが、チタンはその部分だけだ。内側は、アルミニウムの複数の層になっている。タリー氏のデザインによる保温性コーティングの層だ。長年、航空宇宙工学のエンジニアとして勤めてきた彼は、この球体なら、宇宙線に対する耐性があり、また、宇宙をただよう破片とぶつかっても耐えられるだろうから、地球軌道上で生き残れると確信した。

「いつまで生き残れると?」

夫人は微笑む。私に見せる初めての笑み。

「人類が、それを回収できるほどに復活するまで」

球体のなかに丁寧に詰められていたのは、DVDの束、図面、丸めてガラスケースに入れた新聞紙、多種の物質のサンプルだ。「海水、粘土のかたまり、人間の血液」タリー夫人は言う。「彼は、賢いひとだった、夫のことよ。ほんとうに賢いひと」

私は、この小さな衛星のなかにはいっていた、いっぷう変わった内容物をひっくり返して調べ、一つずつ手にのせては、感心したようにうなずく。ごく簡潔な人類と人類の歴史の説明書だ。

ベン・H・ウィンタース『地上最後の刑事』上野元美訳

引用文中に登場する「私」とは、主人公で語り手のパレス刑事です。この小説が「ハードボイルド」なのは、一貫してこの「私」の視点から語られているからです。
さて、老夫婦が金属の球体に入れたものをあらためてみましょう。

・DVDの束
・図面
・丸めてガラスケースに入れた新聞紙
・多種の物質（海水、粘土のかたまり、人間の血液）

このリストを前提にして、あなたなら何を遺すか、考えてみてください。
もし私なら、こんなものを入れるでしょう。

・「笑い」に関する資料

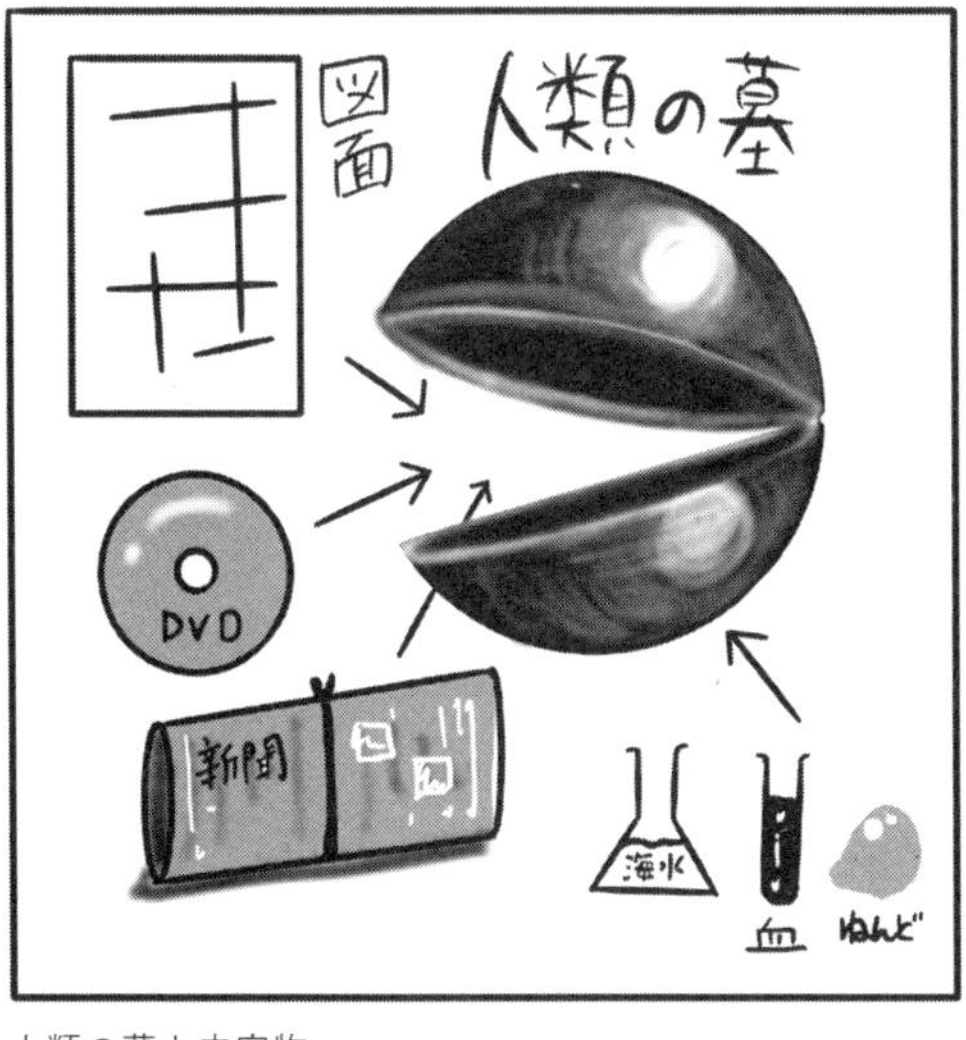

人類の墓と内容物

・なるべく多くの音楽の音源（再生機器付き）
・人間のDNAに関するデータ（人間を復元するため）

この中に書籍も入れたいところですが、金属球を回収できるほどの地球外生命体であれば、人間よりもはるかに高度な文明を持っているはずですから、人知の達成したものを記した書籍は彼らの役には立たないと考えられます（詩や小説などの文学はどうかと問われそうですが、ここではそれはおきます）。

なぜ「笑い」と「音楽」なのか。この二つこそは、人間という種に特有の文化だろうと考えるからです。

まず「笑い」について。

私は葬送文化を研究していることもあって、これまでさまざまなお墓を見てきました。その中でも心に残ったものは、言葉（フレーズ）を刻んだものでした。特に「あわててくるなよ」というジョークめいた言葉が刻まれた、小さなピラミッド形のお墓が忘れられません。

このお墓を見た時に、「笑い」に関して閃くものがありました。

笑いの質は異なりますが、死者の側から生者を見て笑っているという視点は、第5章で登場したゴーゴリの『外套』を思い出させます。生と死のズレ、肉体と精神のズレ、弱者と強者の入れ換わり――『外套』に見られたこれらの「笑い」に関わる要素が、そのお墓にも感じられるように思います。ですから、私は「笑い」を人類の墓標にしたいと思います。

「音楽」を残したい理由は、シンプルに、私自身、音楽が好きであることも理由の一つですが、哲学者ベルクソンが「笑い」に加えて「音楽」を特別な存在としているからです。

「笑い」と「音楽」に関するベルクソンの考察

ベルクソンは「音楽がわれわれのうちへさまざまな特定の情動、歓びや悲しみや哀れさや同情を呼び起こしてくること、またこうした情動ははなはだ強い場合があること、そしてそのような場合、情動はそれがまったく何ものにも結びついていなくても、われわれにとって完璧」（『道徳と宗教の二つの源泉Ⅰ』森口美都男訳）と述べています。つまり、人間的な次元と音楽の次元には、神秘的な乖離があるということです。

アンリ・ベルクソン（1859〜1941）

カフカが『変身』の中で、音楽への感受性を人間の証としていましたが、ベルクソンは人間の個としての存在から乖離しているけれども、音楽が完璧なものとして存在していることが、かえって音楽の特異性を証明していると考えたのです。

わかりやすい例として、下ネタ好きで知られるモーツァルト（1756〜91）のいささか下品な人間性と、彼の完璧で精緻な音楽との明らかなギャップが挙げられます。

作曲中のモーツァルトは、自由自在に〝ゾーン〟に入ることができたようで、どこか別の次元から音楽が降りてくるような状態になったようです。それほどの天才ですから、小林秀雄はモーツァルトの35歳での早世を、「音楽の霊が彼を食い殺す」と述べています（小林秀雄「モオツァルト」『モオツァルト・無常という事』）。まさに、「神に愛されすぎた神童」といえるでしょう。

よく知られる話ですが、モーツァルトのミドルネーム（自称であって、本名ではないらしい）の「アマデウス」は、「神（デウス）に愛（アマ）された」という意味です。

加えて、楽聖ベートーヴェン（1770〜1827）が、音楽は哲学よりも高い次元の啓示だと明言したエピソードもよく知られています（ロマン・ロラン『ベートーヴェンの生涯』）。

あらゆる芸術は技能の習熟とともに、インスピレーションが重要です。特に音楽は芸術であるよりも宗教的な啓示に近く、その唯一無二の性質からしても、人間が存在した証しにふさわしいと考えられます。それが人類の遺産としてふさわしいと考えた理由です。「笑い」に関しては、ベルクソンがその名もズバリ『笑い』というさまざまな角度から笑いを考察した哲学書を書いています。その中でも、特に私が共感したのは、カリカチュア（戯画）がなぜ笑えるのかについての考察です。

私自身、プロの似顔絵師をしていたことがありますが、ベルクソンの考察は経験者から見ても膝を打つものです。

戯画作家の技芸には悪魔的な何かがあって、天使が打ちのめした悪魔を助け起こすのだ。たしかにこれは誇張する技芸であるが、だからといって、その目的が誇張にあるとするのは、規定の仕方としてあまりよくない。というのも、肖像画より実物によく似た戯画もあれば、誇張がほとんど感じられない戯画もあるからであり、逆に、極端に誇張しても戯画のもつ真の効果が得られないこともあるからだ。誇張におかしさがあるためには、誇張が目的として現れるのではなく、単なる手段として、作家が自然のなかによじれが生じようとしているのを見て、そのよじれをわたしたちの目にはっきり見せるために用いる単なる手段として現れるのでなければならない。重要なのはこのよじれであり、それが興味深いのである。

ベルクソン『笑い』増田靖彦訳

似顔絵とカリカチュアは、厳密には別のジャンルなのですが、私の場合、時には（ジョークがわかってくれそうなお客さんの場合に限って）カリカチュアの手法で描きました。

カリカチュアは、もともと新聞などで社会風刺に使われるものです。キルケゴールがマスコミに痛烈に批判された「コルサール事件」では、彼を描いたカリカチュアがその象徴的な存在として後世に残っています。カリカチュアとは、風刺する相手を挑発して怒らせるものであり、似顔絵とは別の技術が必要です。相手に一撃を与える武器にもなるカリカチュアの手法を、あえて商業的な似顔絵に用いる場合は、モデルが「面白くて笑える」と「怒り出す」の間で微調整する必要があって、デフォルメのさじ加減が難しくなります。

それでも私がカリカチュアの手法を取り入れたのは、それがベルクソンの言う「悪魔的な何か」に通じているからです。ベルクソンのカリカチュア論をわかりやすく説明しましょう。

まず人間の心身では、心がしなやかで流動的なのに対して、身体は心の動きを癖やシワとして固着化させてしまうという傾向があります。戯画作家は、そうした、人の心の変化と身体のちょっとしたズレを見るや否や、すぐさまそれをキャッチして絵にしてしまうのです。

たとえば、眉間に入った特徴的なシワや、作り笑いをしてしまう癖や、疑り深い人の落ち着かない目線など、そうした、一瞬現われては消えてしまう身体の変化を描かれた人は、内面を見抜かれたような感じになり、思わず笑ってしまうのです。描かれる人が隠そうとしている心の癖を身体の表面に固有の表情として見出すこと、それをデザインして、少しだけ滑稽な領域に留めて、あるいはあえて誇張して表現すること。

他のジャンルの「笑い」も、このカリカチュアの精神に通じるところがあります。「笑い」は人間の心身のズレ、主観と客観のズレから巻き起こる哀しみを含むものです。ですから、私は人間が存在した証しとして「笑い」を残したいと考えるのです。

みなさんも、ぜひ「人類のお墓に何を入れるのか」をイメージしてみてください。人間観、死生観、その他さまざまな価値観が炙り出されてくる問いだと思います。

神はあまり笑わない。なぜなら、神は完璧だから。「笑い」は人間の不完全さやズレから来る。レベルの高い漫才では、ボケとツッコミのズレが大きすぎても小さすぎてもいけない。コンマ1ミリの単位でズレを調整できる技術を持つ者たちだけに「笑い」は降臨する。ちょうどぴったりのズ

レを探し出すのは、人間が編み出した凄い技だ。笑いに普遍性はあるが、時代によって笑いの技法は変化するから、常に時代の流れを読み、学び続けることが大切だ。

音楽はもともと神の世界のものだ。それを無理やり地上に降ろすなんて、悪魔的な行為だろう。モーツァルトは、あからさまに神に「えこひいき」されて、天の国から自由に音楽データをダウンロードできた。下ネタを連発する彼のキャラクターが面白くて、悪魔たちにも愛されていた。神にも悪魔にも愛された特別な作曲家だ。

彼を、《アイネ・クライネ・ナハトムジーク（小夜曲）》などの優雅で穏やかなだけの作曲家だと思っている向きには、もちろん《レクイエム》やピアノ協奏曲第20番、交響曲第40番などの短調作品（いずれも超付きに有名だが）はお勧めだが、それ以上に、長調作品のピアノ協奏曲第22番や最晩年の同27番、クラリネット協奏曲なんかを聴いてほしい。一見、穏当で単純なメロディが紡ぎ出す、荒涼とした魂のたたずまい。聴けば聴くほど、これは地獄の音楽である。とんでもない天才（アマデウス）だ！

コラム

最後の一人になった女性 マークソン『ウィトゲンシュタインの愛人』

人類の最後にもバリエーションがある

『地上最後の刑事』は、地球最後の日まで主人公の刑事が捜査を続ける物語でした。

人類が滅亡する可能性はいくらでもあります。核戦争、環境破壊、環境破壊による気候の激しい変化、新しいウイルスのパンデミック……。目下、ウイルスのパンデミックによる人類滅亡をイメージする人もいるのではないかと思います。

小松左京（1931〜2011）の『復活の日』は、パンデミックと核戦争が組み合わされた人類の滅亡の危機を描いた作品でした。この場合は、ごく少数の生き残った人間が、南米にコミュニティを作って生き延びます。寸前のところで、人類は絶滅を免れるのです。

同じくパンデミックによる滅亡を描いた作品でも、リチャード・マシスン（1926〜20

13）の『アイ・アム・レジェンド』（旧邦題は『地球最後の男』。1964年に同名映画化）は、社会とは何かという問いに焦点を合わせています。パンデミックによって、主人公以外のすべての人類が桿状菌（かんじょうきん）（円筒状の菌類）に感染して吸血鬼になってしまうというB級ゾンビものを思わせる設定です。

この作品が凡百の同類映画に抜きん出ているのは、主人公を除いてすべての人間が吸血鬼になってしまい、ついには主人公が処刑されて（正確には処刑されそうになったところで、優しい心を持った吸血鬼からもらった楽に死ねる薬を飲んで死ぬ）、新人類、すなわち吸血鬼の新しい社会が完成するという転換がストーリーに織り込まれているからです。

このような〝ポスト・アポカリプス〟と呼ばれる作品の中で、「地球上でたった一人だけが生き残る」という特異なシチュエーションを描いているのが、アメリカのデイヴィッド・マークソン（1927〜2010）の長篇小説『ウィトゲンシュタインの愛人』です。

これはナラティブの実験性やメタ構造を取り入れたポストモダン小説で、すべてが独白で記述されています。主人公の時間と空間の捉え方は、カート・ヴォネガットの『スローターハウス5』のようにバラバラに解体されています。

永遠に続く「どくさいスイッチ」?!

主人公（女性）の独白によれば、世界が終焉を迎えたのち、ただ一人生き残った主人公は、自分の年齢すらわからなくなっています（50歳にはなっているらしい）。彼女はアメリカのとある海岸に一人で暮らしており、タイプライターで回想録を書いているのですが、読み手は、主人公がたった一人、誰もいない地球でサバイバル生活をしているにしては、あまりにアグレッシブで、行動範囲が広いことに少し首を傾げることになるでしょう。

デイヴィッド・マークソン（1927〜2010）

たとえば、彼女は何台もの乗り捨てられた車を乗り継いでメキシコまで旅に出たり、メトロポリタン美術館から絵を運び出そうとしたり……。たった一人でやりたい放題の日々を送っています。

このシチュエーションは、ほぼ『ドラえもん』の「どくさいスイッチ」と同じです。「どくさいスイッチ」とは、気に入らない人間を消すことのできるドラえもんの道具。そのスイッチを押したのび太が、うっかり自分以外の地球上の人間をすべて消してしまうのです。

のび太の場合は、他人がいない自由を一通り謳歌した後、すぐに自身の愚かさに気づき、いつものようにドラえもんに頼んで世界は元通りになります。

しかし、もし世界がこのまま元に戻らなかったら、おそらくのび太は正気を保てなかったでしょう。

地球上にただ一人で生きる『ウィトゲンシュタインの愛人』の主人公は、正気を保っていたのでしょうか。主人公の独白のみで進行するこの物語自体、すべてが彼女の妄想であるのか、ある程度は現実が混ざっているのか、最後まで読んでもわからないのです。この作品はミステリではありませんから、明快な結論が示されるわけではありません。でも、これこそが正しい答えのない世界で小説を読む醍醐味なのです。

作中に登場する文学作品と哲学者

この独白形式の小説で目につくのが、主人公が言及している作家、哲学者、文学作品です。いくつか挙げてみると、哲学者はウィトゲンシュタイン、ラッセル、ニーチェ、ハイデガー、キルケゴール、パスカル。作家はドストエフスキー、シェイクスピア。作品は『オデュッセイア』『嵐が丘』『アンナ・カレーニナ』『ブラームスの伝記』などです。特に『ブラームスの伝記』は、作品のキーワードにもなっていると思います。
というのも、タイトルになっているウィトゲンシュタイン（1889〜1951）は、ブラームス（1833〜97）の音楽を愛した哲学者であり、作中にはウィトゲンシュタインが楽器を持ち歩くエピソードも出てくるからです。

そもそもなぜタイトルが『ウィトゲンシュタインの愛人』なのか、を考えてみましょう。ウィトゲンシュタインの後期の思想が「言語ゲーム」という概念を巡る思索であることに関係があると思われます。

ウィトゲンシュタインの哲学は、それまでの哲学体系そのものを疑い、破壊するために、言葉の使い方（言語ゲーム）そのものから考え直しました。私たちの社会生活は、言語のゲーム抜きには成立しません。すべての学問がそうですが、哲学も言葉でできています。「私は、本を読んでいる。明日は晴れるかもしれない」。このような頭の中に羅列される言葉が、私たちの日常を支える基盤になっています。考えること自体、言葉がなければ不可能です。しかし、この言語ゲームで成立する世界には、何ら根拠がないことをウィトゲンシュタインは見抜いていました。

ウィトゲンシュタインは「部屋の中にサイがいる」という可能性を否定しません。世界が言語ゲームで成立する以上、それは論理的には否定できないからです。

わたしたちは、ある程度は同じ感覚を共有しているだろうというあやふやな仮定のうえで話を進めるしかない。ウィトゲンシュタインによれば、私たちの日常は不確定の可能性を便宜的に排除し、あやふやな土台のうえで行なわれている言語ゲームそのものなのです。社会生活が成立しない世界で暮らす主人公の語りで構成される『ウィトゲンシュタインの愛人』は、私たちが生きる日常世界が、実のところ、いかに不確かなものなのか、それを逆照射する作品でもあるのです。

ウィトゲンシュタインは論理の権化。だからこそ、部屋の中にサイがいる可能性を否定しなかった。彼は同様に悪魔を否定したりはしないだろう。ただし、彼はそれについて沈黙する。『ウィトゲンシュタインの愛人』は、この哲学者に捧げられた讃歌みたいなものだ。

終章

文学はヨブから来てヨブに還る、あるいは人間の死と病

――「ヨブ記」、クラーク『幼年期の終り』

いまや、グーグル・マップでたいていの場所に行けるから、地上に未知のものはなくなるかもしれない。他方で、UFOへの関心は日に日に高まっているのではないか。アメリカ政府も未確認飛行物体の存在をとうとう認めた。作家やアーティストとUFOは縁が深い。三島由紀夫はUFOを目撃したと公言しているし、手塚治虫もそうだ。手塚は、UFOを心霊現象と結びつけた風変わりな漫画を描いている。

終章の最後に登場するクラークのSF作品にもUFOや宇宙人が登場するが、「真の主役」は、実はメフィストである。

西洋人よりも日本人のほうが「ヨブ記」がわかる?!

終章では、まず旧約聖書の「ヨブ記」を取り上げます。

キリスト教思想家の内村鑑三は、「ヨブ記」について、次のように述べています。

ヨブ記は文学書にあらずしてしかも世界最大の文学書である。

内村鑑三『ヨブ記講演』

内村が言っているのは、「ヨブ記」はユダヤ教・キリスト教の聖典であるため文学とはみなされないけれども、実際には、どのような文学作品をも凌駕する文学だということでしょう。内村は、ゲーテの『ファウスト』、ダンテの『神曲』、シェイクスピアの『ハムレット』もまた、「ヨブ記」から生まれたと述べています。「ヨブ記」を知らずして、文学を語ることなかれ、なのです。

とはいえ、私たち日本人には「ヨブ記」はあまり馴染みがないかと思います。「ヨブ記」は、おおよそ紀元前5～3年にパレスチナで成立したという説が有力ですが、実のところ、書かれた時代も作者も物語の舞台もはっきりしていません。いずれにしても、日本の文化とは縁のない土地で大昔に書かれたものなのですが、内村は異邦人の私たちのほうが、「ヨブ記」を読むのに適していると主張しているのです。

内村鑑三（1861～1930）

というのも、そもそも「ヨブ記」の主人公ヨブは、パレスチナから見て異国の人であったという説を内村は支持しているからです。そして、ヨブが異国の人であるからこそ、民族を超えた聖書の普遍性をそこに見出しうるのではないかと考えたわけです。つまり、私たちと主人公ヨブは、同じ異邦人という立場にあります。ここで「ヨブ記」のあらすじを見てみましょう。

満身創痍のヨブに、神は……

ヨブは7人の息子と3人の娘を持つ富豪であり、神への信仰も篤い義人でした。自らのふるまいに神への対応に欠けた点はないのか、念には念を入れて生活しています。彼の少し強迫的ともいえる信仰スタイルは以下のようなものでした。

――息子たちはそれぞれ順番に、自分の家で宴会の用意をし、三人の姉妹も招いて食事をすることにしていた。この宴会が一巡りするごとに、ヨブは息子たちを呼び寄せて聖別し、朝早くから彼らの数に相当するいけにえをささげた。「息子たちが罪を犯し、心の中で神を呪ったかもしれない」と思ったからである。ヨブはいつもこのようにした。

『聖書　共同新訳 旧約聖書続編つき』共同訳聖書実行委員会

「聖別」とは俗な領域から切り離して神に捧げるということです。もしかしたら息子たちが犯したかもしれない罪の可能性にすら怯(おび)えるのが、ヨブの信仰スタイルです。このような信仰生活を送るヨブに、神は疑問を持ちませんでした。

しかし、サタンは疑問を持ったのです。ヨブの信仰は、自分の財産を守るためではないかというのです。「こんなことをすれば、神は自分の財産を守ってくれるだろう」という思惑でヨブは動いているだけであり、財産を奪ってしまえば神を呪うに違いないとサタンは予想します。そこでサタンは、神にヨブの所有物を自由にしてよい（奪ってもよい）という許可を得ます。つまり、ヨブを試してみてもよいという許可です。

サタンはまずヨブの牛、羊、ラクダ、雇っていた牧童たち、羊飼いたち、息子、娘たちを奪います。ヨブの篤い信仰は、それでも揺るぎません。そこで、サタンはさらに試練を与えようと、ヨブの全身を皮膚病にしてしまいます。それに対してヨブの妻は「どこまでも無垢でいるのですか。神を呪って死んだほうがましでしょう」と、信仰を捨てないヨブをなじります。しかし、ヨブは「わたしたちは、神から幸福をいただいたのだから、不幸もいただいておこうではないか」と苦難を受け容れようとするのです。

その後、ヨブの皮膚病が重篤であると聞いたエリファズ、ビルダト、ツォファルの三人の友人がヨブのもとに駆けつけて、それぞれがヨブに語りかけます。エリファズは「ヨブは最終的には天寿をまっとうすることになる」と励まし、ビルダトは「ヨブの子どもたちが神に対して過ちを犯した」という憶測でヨブを責め、三人目のツォファルは、「ヨブの現状は因果応報だ」と語ります。
ヨブは「そんなことを聞くのはもうたくさんだ、あなたたちは皆、慰めるふりをして苦しめる」と腹を立てるのでした。

満身創痍のヨブの前にようやく神が登場し「腰に帯をせよ」（「シャキッとしろ」という意味）と語りかけます。そして人間がいかに無知な存在であるのかをヨブに諭すのです。一神教では、神の被造物にすぎない人間が、創造神に疑問を投げかけること自体、不敬だと考えられ、神もそのことをとうとうと説きます。

最終的にヨブは神の忠告を受け容れ、苦難から解放されます。さらには神の恩寵によって財産が二倍に増え、子孫も栄えて、長寿も

ヨブはサタン策略によって試される

得ることになります（同）。

ヨブの以前の信仰スタイル（いけにえを捧げて現世利益を守ろうとする姿勢）は誰からも後ろ指をさされるものではありませんでしたが、通り一遍ともいえるものでした。

しかし、このような数多の苦難を経て、ようやく自らが選んで神への信仰を持つことになったのです。主体的な意思による選択（決断）という点で、これは実存主義の始まりといえるかもしれません。

気になるサタンの性質

「ヨブ記」に登場するサタンは、文学作品でよく見かける、人間を誘惑し、そそのかすようなイメージとは少し異なります。

「ヨブ記」のサタンは、神に従属する姿勢を見せつつも反対意見を述べる、という微妙な立ち位置にいます。サタンはヘブライ語の「（神に）敵対するもの」という言葉を語源としています。つまり、悪そのものではなく、堕天使（天から堕ちた天使）であって、善悪二元論の〝悪〟ではなく、〝善の欠如〟と言ったほうがしっくりきます。優等生だった中学一年生が二年生になったとたんに傲慢になり、教師の手に負えないような問題児になってしまった……そんな光景を思い浮かべるとわかりやすいかもしれません。

とはいえ、人はどうしても死や死を連想させるものを悪とみなし、サタンもそのような存在に見られがちです。旧約聖書「イザヤ書」14章においては、サタンは神に反逆し、天上から追放され「陰府（よみ）」「墓穴の底」に落とされたとされていますから、死者の国が彼の住処（すみか）ということになります。

また、「創世記」では、サタンは蛇の姿になってイブをそそのかし、「善悪の知識の木の実」をアダムとイブに食べさせます。それが神の逆鱗（げきりん）に触れたことはよく知られています。

しかし、神がアダムとイブを楽園から追放したのは、「善悪の知識の木の実を食べたから」ではありません。楽園には、もう1本その実を食べると不死になるとされる「命の木」が生えていて、それを食べたら人間が不死になってしまうという恐れ（実際には食べてはいない）によって、神は人間を追放したのです。

> 主なる神は言われた。
> 「人は我々の一人のように、善悪を知る者となった。今は、手を伸ばして命の木からも取って食べ、永遠に生きる者となるおそれがある」
> 主なる神は、彼をエデンの園から追い出し、彼に、自分がそこから取られた土を耕させることにされた。こうしてアダムを追放し、命の木に至る道を守るために、エデンの園の

東にケルビムと、きらめく剣の炎を置かれた。　同

神は人間が「不死になる」恐れから楽園追放したのです。それはなぜなのか？　その理由は神の口からは語られません。おそらく、善悪を知り、さらに不死となってしまった人間は、何らかの脅威になりかねないと判断したためでしょうか。このエピソードの初動をたどれば、「善悪の木の実」を食べるようにサタンがアダムとイブをそそのかしたことが、きっかけになったわけですから、人間の死生の問題にサタンは深い関係があることになります。

ここまでの旧約聖書のサタンに関する記述をまとめると、サタンは死者の国に住んでおり（イザヤ書）、人間の死生に関わり（創世記）、ヨブの苦難や病（ヨブ記）にも関わることによって、後代に病や死の表象を抱かせるようになった、ということになるでしょう。よく知られているサタンの外見については、特記すべきことがあります。私たちがサタンのイメージとして共有している「短い角」や「尻尾」といった特徴は、もともとギリシャ神話のヘルメスの息子パン（牧神。「パニック」の語源でもある）のものであったといわれています。サタンの表象はギリシャ神話からの借り物だったのです（J・B・ラッセル『悪魔　古代から原始キリスト教まで』野村美紀子訳）。ギリシャ神話の多神教世界の神が、ひるがえってキリ

スト教世界ではサタンになっているわけですから、その悪のイメージはやはり絶対的ではなく、相対的なものなのです。

ヨブが与えたキルケゴールへの影響

キルケゴールの主著『死に至る病』（1849年）には、ゲーテの『ファウスト』（1808年、1833年）のサタンに関する言葉が引用されていて、自分自身の罪に対する「自覚の強さ」にサタンを見出しています。キルケゴールにとって、サタンは、自省のための一要素と認識されているのです。

ここでのキルケゴールの罪には、放蕩生活を送った自らの過去と肉親の性的放逸さ、そして彼自身の婚約破棄など複数の要因があるでしょう。

キルケゴールは、「ヨブ記」から受けた強い影響について、偽名で公表した著書『反復』のなかで克明に記しています。キルケゴールのヨブへののめり込みは常軌を逸しており、彼が起こした婚約破棄事件も、それが原因ではないかと思われるほどです。

『反復』は、架空の詩人と青年の往復書簡の体裁を採っていますが、単なる創作ではありません。彼が実際に婚約破棄した恋人（レギーネ・オルセン）に、自分の本心を明かそうとして書かれたものなのですから、ここに登場する若い詩人は、キルケゴール自身と考えてもよいでしょう。詩人は、次のような手紙を文通相手の青年にしたためます。

もしぼくにヨブがいなかったら！　彼がぼくにとってどんな意味を持っているか、どんなにさまざまな意味を持っているか、それを書きあらわし、そのニュアンスを表現することは不可能です。ぼくは彼をほかの書物を読む時のように目で読まないで、ぼくはこの書物をいわばぼくの心臓の上にのせるのです。そして心の目でそれを読みながら、一種の透視力でぼくは細かな点まで実にさまざまに理解します。朝になって目を覚ましたらせっかく勉強したことを忘れてしまっていたということのないように、子供が教科書を机の下に入れておくのと同じに、ぼくは夜ヨブの書をベッドにもってはいります。彼の一語一語が、ぼくの惨めな魂にとって栄養であり、衣服であり、医薬であります。彼の一言がぼくを昏睡状態からよび覚まして新たな不安に駆り立てることもあれば、ぼくの内部のむなしい狂乱をおし鎮め、激情の無言の苦悩から生まれる兇猛なものに止めを刺すこともあります。あなたはきっとヨブをお読みになったことがあるでしょう。彼をお読みなさい。幾度でも繰り返してお読みなさい。

キルケゴール『反復』桝田啓三郎訳

やがて沈黙が破られて、ヨブの苦しみ苛まれた魂が力強い叫びとなってほとばしり出ます。

それがぼくにはわかるのです。この言葉をぼくはぼくの言葉にします。その瞬間にぼくは矛盾を感じ、そしてまるで子供が父の着物を着ているのを見るとおかしくて笑わずにいられぬように、ぼく自身をあざわらいます。　同

物語の登場人物に感情移入することは、誰しも経験があるでしょうが、キルケゴールの「ヨブ記」への心酔は並大抵ではなく、まるでヨブという男がキルケゴールに憑依(ひょうい)したかのようです。実存主義の祖とされているキルケゴールの思想的ルーツに、ヨブの存在があったことは間違いないでしょう。

キルケゴールは放蕩生活を経て自らに絶望したのち、信仰生活に戻り、『反復』を執筆しました。彼は恋人との幸せな生活よりも、神への信仰を自ら選択したのです。とはいえ、キルケゴールは相変わらず恋人を愛したままでしたから、相当に苦しかったのでしょう。自らの葛藤を恋人（元婚約者）に理解してほしいという気持ちが抑えられず、行間から彼の思いがほとばしるようです。

しかし、ヨブの絶望と、キルケゴールの絶望は同じものなのかという疑問もあります。ヨブはすべてを奪われて絶望におちいりましたが、キルケゴールの目の前には輝かしい未来（恋人との新婚生活）があったはずなのです。

キルケゴールは自分が幸福になりつつあるのを自覚していたからこそ、恐れおののいて、大切な婚約者をあらかじめ捨ててしまうことで、それを失うことを防ぐという倒錯的な行動に走ったのではないでしょうか。キルケゴールの恐れの原因はやはり「ヨブ記」にあると思います。入念に罪を犯さぬようにしていたヨブですら、悪魔によって試練が与えられたのですから、罪の自覚のあったキルケゴールには、脅迫のように感じられたことでしょう。

「ヨブ記」は、信仰を持たない者にとっては文学的エピソードとして読むことができますが、信仰を持つ者にとっては劇薬にもなり、キルケゴールにはそれが効きすぎたのです。

文学史の中のサタン

サタンを文学史で見ると、旧約聖書に登場するような確固たるキャラクターではなく、人間の「影」となっている作品があります。

ドストエフスキーの『カラマーゾフの兄弟』(1880年)です。

ここでは、サタンは三兄弟の次男イワンの白昼夢の中に登場します。イワンの心の影として登場しながらも、『カラマーゾフの兄弟』のサタンはやけに個性が強く、健康に気を使ってワクチンを接種したなどとユニークな小噺まで披露します。

しかし、カフカの『変身』（1915年）、カミュの『ペスト』（1947年）などの不条理小説においては、神もサタンも、人の心の鏡のような存在としてほのかに顔を覗かせるだけで、明確なキャラクターとしては示されません。

それはどうしてでしょうか。

『変身』や『ペスト』には、「ヨブ記」に見られたような一神教の神との邂逅や恩寵などは描かれません。これは20世紀の小説においては、明確なわかりやすい形での悪が存在しないということでもあります。『変身』における悪は、確固たるキャラクター（サタン）としてではなく、人の心に巣食うという形、たとえばグレーゴルの家族の残酷な性質として顔を覗かせることになります。それだけではありません。解釈次第では、健康であり、かつ金銭を稼げる者（生産性の高い人間）でなければ存在意義が認められない、異質な者は排除される社会や経済システムにサタンが巣食っていると示唆しているのかもしれません。

20世紀文学における善悪の問題には、絶対的な善とされてきた神の死（ニーチェ）や、それ以前から一定の浸透を見せていた無神論的な懐疑主義の影響もあるのかもしれません。

明確に善と悪が示されるのは、いまではエンターテインメントと呼ばれるジャンルだけでしょう。

『幼年期の終り』は未来の「ヨブ記」

エンターテインメント作品の中で、ジュール・ヴェルヌの『海底二万里』やH・G・ウェルズの『タイム・マシン』など19世紀後半に現われたのが、新しい文学ジャンルとしてのサイエンス・フィクション（SF）です。

その中でも善悪の問題をテーマとして「ヨブ記」を再考するヒントを提示しているように思われるのが、アーサー・C・クラークの『幼年期の終り』（1952年）です。

『幼年期の終り』のストーリーは以下のようなものです。

21世紀のある日、大きな宇宙船に乗って宇宙人が地球にやってきます。彼らのリーダー（カレルレン）は姿を現わしませんが、音声のみで人類にメッセージを伝えます。彼は完璧な英語でスピーチし、人類に圧倒的な知性を見せつけます。あらゆる都市の上空に宇宙船が出現したため、ミサイルで攻撃しようとする国もありますが、まったく効果がありません。人類は完全に征服されてしまい、宇宙人は、次第に人間の倫理観にまで干渉するようになります。人種差別のある国に対しては、太陽を30分間、遮断するなどという威圧的な警告を発するほどです。

時が経ち、いよいよ宇宙人のリーダー（カレルレン）が人類の前に姿を現わします。その姿は意外なことにサタンの姿をしていたのです（これには本作の重要なメッセージが隠されています。詳細は後述します）。

カレルレンをはじめ、宇宙人たちの力を借りて、すべての農作物や必要物資をオートメーションで生産できる技術を手に入れた人類は、働かなくても生命を維持できるようになります。征服者の高い医療技術のおかげで、疾病の不安からも解放されます。病、貧困問題、戦争などの解消により、いわば〝ユートピア〟と呼べるような世界が地上に実現することになるのです。

アーサー・C・クラーク（1917～2008）

しかし、不安を手放した人類は、創造性までも失ってしまいます。文学は何十年も生まれず、他の芸術活動も停滞し、暇つぶしの娯楽番組だけが膨大に制作され、人々はそれを観ることに人生を浪費するようになります。疾病や貧困からの解放のメリットを享受することが優先され、文化的堕落に警鐘を鳴らす人間はほとんどいません。

そんな中で少数の哲学者のみが、それが危機的状況であると気づくのです。そこで、ある哲学者を中心に、芸術家たちのコロニー「ニュー・アテネ」が形成されます。

あらゆる種類の不知や相剋が姿を消したことは、同時に、創造的芸術の事実上の壊滅を意味していた。素人たると玄人たるとを問わず、俳優と名乗るものは世に充満していたが、いっぽう、真に傑出した新しい文学、音楽、絵画、彫刻作品は、ここ二、三十年というものまったく出現していなかった。世界はいまだに、二度と還ることのない過去の栄光の中に生きつづけていたのだ。

だが、この事態を憂えるものは少数の哲学者以外にいなかった。人類は手にいれたばかりの自由を貪ることに急で、現在の快楽の先にあるものを見通していなかった。ユートピアがついにここに実現したのだ。その目新しさは、まだあらゆるユートピアの最大の敵——退屈——に侵されるまでには至っていなかった。

アーサーC・クラーク『幼年期の終り』福島正実訳

物語の中で、人類が病や貧困の心配から解放されたことは、明らかに人類史的な達成です。『幼年期の終り』と同じ21世紀を迎えて、20年を経ようとしている私たちの現実の世界は、いまだにこれをまったくなし遂げていません。

しかし、そうした課題が地球外から来た宇宙人の力によって達成されてしまったこのユートピアは、哲学者の目から見れば、人類の家畜化に他ならなかったのです。作中では、ある哲学者がコロニーの議長になります（カッコ内は内藤）。

理事会の現議長は、チャールズ・ヤン・センという哲学者だった。皮肉っぽい、だが根は陽気な男で、まだ六十歳にはなっておらず、したがってまだ壮年というわけだった。プラトンが彼を見たら、おそらく、哲学者政治家の好例とみたことだろう。もっともセン自身は、必ずしもプラトンを買ってはいなかった。ソクラテスをはなはだしく誤り伝えたのではないかという疑問を抱いていたのである。彼は、この訪問（宇宙人の訪問）を最大限に活用してやろうと決心した島民（コロニーは二つの島で形成されている）の一人だった。オーバーロード（宇宙人）たちに、人類がまだ多くの主体性を持っていること、そして、まだ――彼の表現にしたがえば――〝完全に飼い馴らされ〟てはいないことを見せつけてやるのだ。同

「コロニーの形成」こそが、物語のターニングポイントになります。というのも、コロニー内の子どもたちに超常現象が起こるようになり、心が宇宙や精神世界とつながってしまった子どもたちは、内面が完璧に満たされているけれども、肉体的にはゾンビのような状

態になっていくからです。

この変化は、人類が物質である肉体を捨てて、精神的な存在になる過程であることを示していて、子どもたちは、最終的には神のような存在（オーバーマインド）に召されることになります。精神的な存在となった人間がオーバーマインドと一体化するのです。それは同時に〝人類の終焉〟を意味します。このような展開が、良いことなのか、そうではないのか――その判断は読者に委ねられることになります。

『幼年期の終り』は、ニーチェが覆したはずの善悪の価値基準を、人類の終末期という舞台に物語を設定し直して、もう一度問い直す作品としても読むことが可能です。

ニーチェは、キリスト教社会に蔓延するルサンチマンによる善悪の価値判断（天国に行くことを善として、地上的な強さを否定する）をひっくり返すために、あえて地上的な強さを力強く肯定しました（超人思想）。しかし、地上的な強さや豊かさなど、宇宙規模で考えれば、吹けば飛ぶようなものであることにクラークは気づいており、それをもう一度問い直したのではないでしょうか。何が正義で、何が悪なのか？　クラークはその判断を下さず、ただ淡々と人類の終焉を描写します。

物語では、そんな状況下にあって、サタンの顔をした宇宙人は、滅亡に向かう人類に惜別の念を抱いているようにも読めますし、もしかすると人類に愛情をすら抱いているようにも思えるのです。

『幼年期の終り』に登場するサタンの顔を持つ宇宙人は、私たちが一般的に持つサタンのイメージを覆します（カッコ内は内藤）。

・宇宙人のセリフ

「かつてその謎を解いたものはいない。そして、いまはあなたにも、われわれ（宇宙人）が話さなかった理由がわかってもらえるだろう。じつは、そのような衝撃が人類に与えられたことは、ただ一回しかないのだ。そしてその出来事は、歴史の夜明けにではなく、まさしくその終末にあったのだ」

「どういう意味です？」ジャン（天文学者）は訊ねた。

・宇宙人のセリフ

「一世紀半前、われわれの宇宙船が地球の領空に侵入したときが、われわれ両種族（宇宙人と人間）のはじめての出会いだった。もちろんわれわれのほうではそれ以前から地球人を観察してはいたが、実際の出会いはそのときがはじめてだったのだ。ところが地球人は、われわれがひそかに予想していたとおり、われわれの姿からあることを思い出し、われわれを恐れた。だがそれは厳密にいえば記憶ではなかったのだ。あなたは、時間というものが地球人の科学の類推よりはるかに複雑なものであるという証拠を、すでに充分もっている。つまり、その記憶とは、過去の記憶ではなく未来の記憶――地球人類がすべての終焉を知らされる、その最後の年月のそれだったのだ。われわれはできるだけのことはした、が、それは安易な終熄ではなかった。そしてその終熄のときにいあわせたがために、われわれは地球人類の死と同一視されることになったのだ。そうだ、まだそれが一万年も先のことだった時代からだ！　それはちょうど、時という閉ざされた輪の内側を、未来から過去

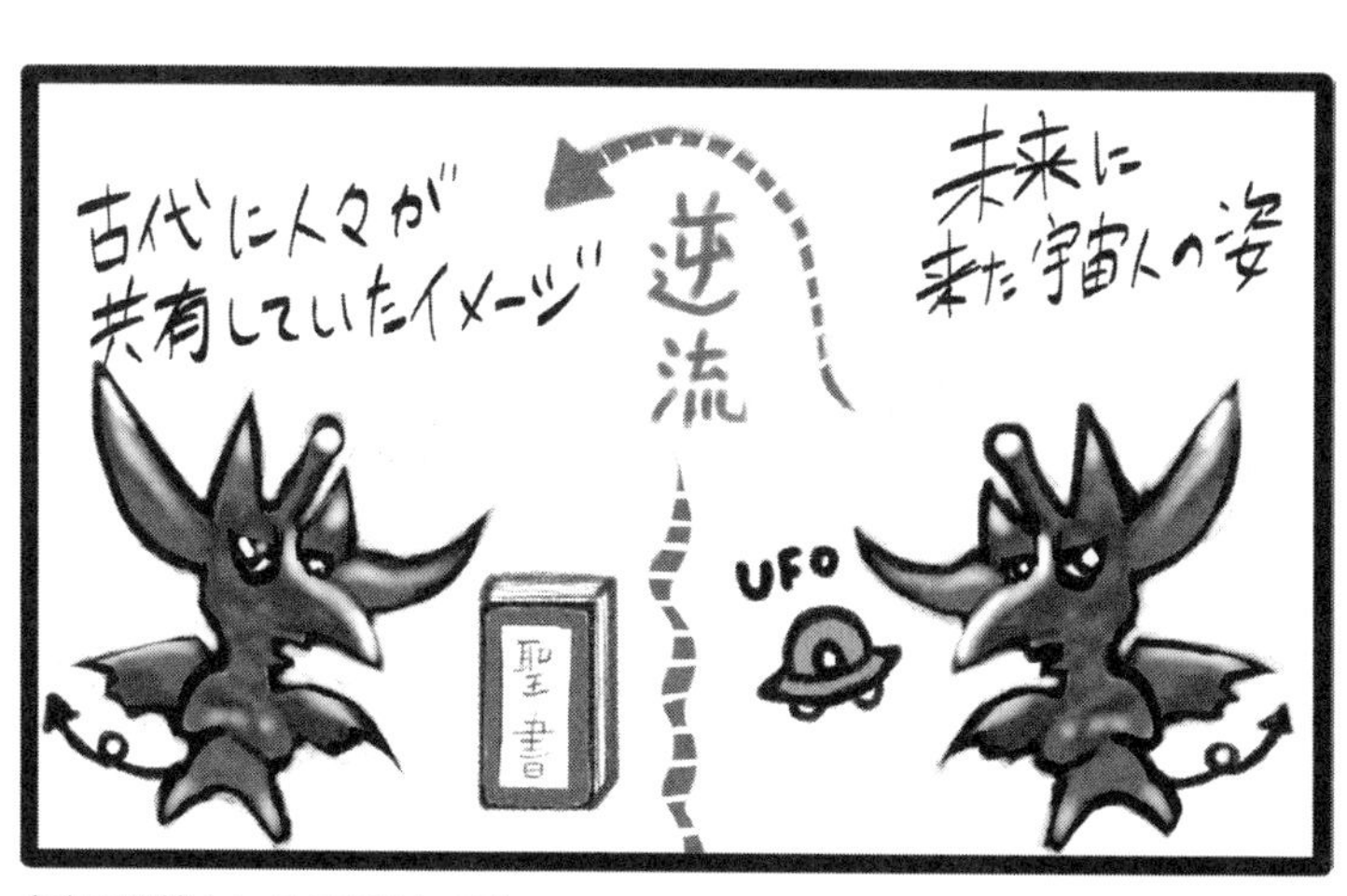

未来の記憶としての宇宙人の姿

へと反響するひずんだ木霊のようなものだったのだ」　同

サタンの起源を「未来における人類の滅亡」とそれに関わった「宇宙人」に紐づけ、そんな宇宙人の姿が無意識の領域を通じて過去に共鳴した、というのがクラークのアイデアです。無意識の領域が時間を越えたイマジネーションの媒介となりえることは予言や予知夢などの事例を通じて、暗黙の了解としてありますから、「無意識」＝「ワームホールのような機能」を媒介として、未来と過去がリンクするということです。

つまり、人類滅亡のヴィジョンを古代人が第六感でキャッチし、その関係者であるサタン（宇宙人）のイメージを旧約聖書に登場させた、という聖典のSF的解釈……これこそが作者クラークの真骨頂ともいえます。

音楽こそが人間の存在証明

ここで、旧約聖書の「創世記」の楽園の中心に「善悪の知識の木」「生命の木」という2本の木があったことを思い出してください。これは『幼年期の終り』の二つのテーマ、①善悪の問題、②人間の死生観の問題につながっているのです。

まず、①善悪の問題について。

宇宙規模で考えるとすれば、絶対的な悪は存在しないとクラークは考えているようです。サタンの顔を持つ宇宙人のリーダー（カレルレン）は、時にとてつもない悪に見えますが、物語の全体を見渡せば、人間の良き理解者ともいえるのです。

つまり、善悪は相対的であって、読者の持つ善悪の基準を破壊してしまう。この物語は、読者にそのような作用をもたらします。

次に、②人間の死生観の問題について。

人間の死、人間に死をもたらす病が存在するのはなぜか？　人間はなぜそれに苦しまなくてはならないのか？　それらに対し、むしろ死の不安や生きる苦しみこそが人間の人間たるゆえんであって、それは芸術の源泉だということを、クラークは伝えたかったのではないでしょうか。

本作には、「不老不死の宇宙人が音楽を持っていない」という興味深いエピソードも描かれています。それに対して、人間の存在する意味は、音楽を創造することにある――これは、前章で取り上げたベルクソンの音楽論に通じるものです。

音楽それ自体が完璧な存在としてこの世にある不思議。人間の不完全さは、むしろ完全なる音楽を生み出すための準備段階としてあるようにも思えます。

クラークは、音楽こそが人間の存在証明だということを、『幼年期の終り』の中で、もう一度示唆しています。極めて印象的なシーンとして、地上最後の人間となった天文学者のジャンが、ピアノでバッハの音楽を演奏して残りの日々を過ごすというくだりがあるのです。

ボイジャーで旅をする人間の音楽

1977年にNASA（アメリカ航空宇宙局）によって打ち上げられた2機の無人惑星探査機ボイジャー号には、アナログレコードが搭載されています。そのレコードは、アメリカの天文学者カール・セーガン（1934〜1996）が選んだもので、いつの日にか宇宙人に発見されて、彼らの耳に届くかもしれないという期待を背負って宇宙を旅しているのです。

NASAの公式サイトには、そのレコードの曲目が公開されています。バッハのブランデンブルク協奏曲第2番、モーツァルトのオペラ《魔笛》の「夜の女王」のアリア、ベートーヴェンの交響曲第5番といった名曲中の名曲が並びます。

収録曲を聴きながら原稿を書いていると、宇宙人がバッハを聴きながら首を傾げている姿が目に浮かんで、愉快な気持ちになります。人間が創造した音楽を聴いた宇宙人は、きっと高い評価を下すことでしょう。

音楽、文学を含めたすべての芸術は、「人間が死すべき存在であること」と「死の不安」

から生まれたのではないでしょうか。死と死の不安・恐怖を受け止め、それを美の力で克服すること、それが偉大な芸術を創造するパワーになるのです（ジョン・キーツ『詩人の手紙』田村英之助訳）。

『幼年期の終り』のサタンの顔をした奇妙な宇宙人は、人間に与えられた死と病という運命、そして、そこから生まれる芸術の意味を再考するために遣わされたという解釈もありえるでしょう。ヨブが病に苦しみながら発した「人間とは何か」という問いに、クラークは一つの答えを出したのです。

ヨブが残した言葉は、実存的文学の魁（さきがけ）といえます。いつか人類滅亡の危機に瀕した時――それは案外近いかもしれませんし、ものすごく遠い未来のことかもしれません――人々はまた「ヨブ記」の問いに戻るはずです。文学はヨブから出てヨブへ還るのです。

COLUMN

コラム

サタンの甥メフィストフェレス　ゲーテ『ファウスト』

新約聖書のサタンと『ファウスト』のメフィスト

終章では旧約聖書におけるサタンの〝活躍〟を見てきましたが、新約聖書ではサタンはイエス・キリストを誘惑し、「あなたが神の子であるなら石をパンに変えてみろ」「地上の世界の国々の権力をあげようか」「あなたが神の子なら神殿から飛び降りてみせろ」などと揺さぶりをかけます。

ゲーテの長篇戯曲『ファウスト』に登場する悪魔メフィストフェレス（以下メフィスト）は「サタンの甥（おい）」という設定で、新約聖書のサタンを引き継いでいます。

ゲーテの『ファウスト』は、15世紀後半から16世紀前半に実在したとされるファウスト博士が、魔術師になるため悪魔に魂を売ったとされる「ファウスト伝説」をベースにしています。

オリジナルの「ファウスト伝説」の「魔術」とは、ルネサンス期の「学問」のことを指していますが（溝井裕一『ファウスト伝説――悪魔と魔法の西洋文化史』）、ゲーテ版においては、学問と魔術は区別されています。ここに着目すると、ゲーテ版のオリジナリティとメッセージに気づきます。

ゲーテ版のメフィストは、魔術を「幻のような空っぽなもの」と称し、学生に対して、まず論理学を、次に形而上学を学ぶようにとアドバイスしています。ここでメフィストが言うところの「論理学」と「形而上学」については、現在の分類とは異なります。「論理学」は数学を含んでいますし、「形而上学」とは当時の哲学のことを指します（山口裕之『語源から哲学がわかる事典』）。

ゲーテ（1749～1832）

つまり、ゲーテ版のメフィストが推奨する学問とは、そのまま当時の近代的理性の精華たる科学と哲学なのです。信仰がすべてであったそれまでの時代が終わり、科学の時代が始まります。ゲーテが描いているのは、それらの葛藤と相克です。加えて、真理の探究には芸術的才能が必要であることも、ゲーテ版メフィストは、それを詩人の存在にたとえて示唆しています。

水木しげるとゲーテ

マンガ家の水木しげるは、太平洋戦争への出征前の1942年ごろに、次のような手記をしたためていました。この文章は、まさに現在の私たちの心象に通じるものがあります。

将来は語れない時代だ。
毎日五万も十万も戦死する時代だ。
芸術が何んだ哲学が何んだ。
今は考えることすらゆるされない時代だ。
画家だろうと哲学者だろうと
文学者だろうと労働者だろうと、
土色一色にぬられて死場に送られる時代だ。
人を一塊の土くれにする時代だ。
こんな所で自己にとどまるのは死よりつらい。

『追悼　水木しげる　ゲゲゲの人生展　図録』

水木しげる（1922〜2015）

水木しげるが赴いた戦地は激戦区とよばれるもので、人生の最期に読む本として『ゲーテとの対話』を選びました。

水木はその後、皆さんもご存じの通り、戦地で大怪我を負い、生死の境をさまよい、それでも無事に日本に生還し、93歳までマンガ家として活躍しました。

エッカーマン（エッケルマン）の『ゲーテとの対話』は、ゲーテを崇拝する詩人がゲーテと交流を深め、その語らいを記録したものです。水木がこの本を生涯の一冊として選んだということは、ここに重要なことが書かれているからでしょうが、それにしても、なぜ『ゲーテとの対話』なのか？

この「選択」について、水木は、戦争が始まったころを回想し、次ように述べています。

哲学なんていうものも無縁に生きてきたわけだが、どうしても、書物らしい書物も読むようななりゆきになる。哲学史の概説書のようなものを読んで、どんな考えを持っている人がいるかをざっと調べ、面白そうな人の本を買うことにした。

ニーチェだとかショーペンハウエルだとかがよさそうなので読んでみたが、もっともだと共感することもあるのだけれど、読後少したつと、どうもしっくりしてこない気がした。

聖書も読んでみたが、どうも僕には向いていないようだ。ただ、語調がよかったので（当時のは、美しい文語調だった）、新約聖書は何度か読んで、暗記した文章もある。

そのうち、年齢も二十歳に近づき、戦争もきびしくなってきた。いつ召集になるかもしれない。そんな時、河合栄治郎編「学生と読書」という本に、エッケルマンの「ゲエテとの対話」という本が必読書としてあげられているのを知った。岩波文庫のこの本を買って読んでみると、はなはだ親しみやすく、人間とはこういうものであろうという感じがする。これで、ゲエテに関心を持ち、「ファウスト」や「ウィルヘルム・マイステル」や「イタリー紀行」を読んだが、「ファウスト」は何回くりかえしてみてもわからなかった。

僕には、むしろ、ゲエテ本人が面白く、だから「ゲエテとの対話」が好きなのだ。この本では、いろいろな人がゲエテ家に出入りし、それについてのゲエテの感想や生活ぶりがまるで劇でも見るようにうかがわれて楽しかった。後に軍隊に入る時も、岩波文庫で上中下三冊を雑嚢に入れて南方まで持っていった。

水木しげる『ゲゲゲのゲーテ』

水木は死を間近に感じたからこそ、哲学書を読み、聖書を読み、そしてゲーテに出会ったのです。水木はここで「父親がたよりなかったから〝代理の父親〟みたいな気持ちで愛読した」とも証言しています。

では水木の〝心の父親〟ゲーテは、どのような思想の持ち主だったのでしょうか。

ゲーテは『ゲーテとの対話』の中で、「悪魔」の存在こそが偉大な人間を出現させる原因だと述べています。ラファエロ、モーツァルト、シェイクスピアを、悪魔が出現させた天才であるとし、さらに、その考えを『ファウスト』に反映させていることを明らかにしています。水木がマンガ家として繰り返しモチーフとしていた妖怪たちも、いわば悪魔の仲間のようなものです。なにより、マンガ『悪魔くん』はゲーテ『ファウスト』の続編として構想されたものです。

『悪魔くん』の主人公「悪魔くん」（本名は山田）は1万年に一人の天才であり、『ファウスト』のファウスト博士が300年もの間探し求め、ついに日本で彼を発見するところから始まります。

『ファウスト』続編として水木流の解釈がふんだんに加えられた水木版ファウストの願いは、メフィストに魂を売ってでも世界を平和にしたいというもので、それは戦争を経験した水木しげるの切なる願いだったのでしょう。

マン『ファウスト博士』と手塚『ばるぼら』

ドイツの文豪トーマス・マン（1875〜1955）にも、マン版『ファウスト』といえる

『ファウスト博士』（1947年）という長篇小説があります。

その主人公は、音楽の才能と引き換えに悪魔に魂を売り渡し、病に侵されます。病の症状が進むことによって、音楽的霊感が湧き出てくるのです。

手塚治虫版のファウストといえば、『ファウスト』と『ネオ・ファウスト』が真っ先に思い浮かびますが、さらに、マンの『ファウスト博士』を下敷きにして、主人公の音楽家を小説家に換えた長篇マンガ『ばるぼら』があります（作中には、小説家の女神（ミューズ）となる「ばるぼら」が、音楽家と接近するシーンがあります）。

『ばるぼら』は、手塚芸術論としても読むことができます。芸術は、金銭欲、名誉欲、政治権力と離れたところに成立するものであること、死への接近と芸術の完成が近い関係にあること、芸術と悪魔の親和的な関係も描かれています。

手塚は『ばるぼら』の後に、さらに芸術家をテーマにした作品を世に問うています。遺作『ルードウィヒ・B』（未完）がそれで、聴力を失っていく困難を伴いながらルートヴィヒ・ヴァン・ベートーヴェンが音楽的才能を開花させていく様子が描かれています。

そこには音楽が科学的に説明されているコマがあり（バッハの作曲を分子の列にたとえてヴィジュアル化している）、芸術と人間的な苦悩、そして科学を統合しようとするチャレンジともいえるものでしたが、残念ながら手塚の死により未完となりました。

哲学・芸術・科学・宗教の統合

手塚がチャレンジしようとしたジャンルを超えた統合は、アーサー・C・クラークが成し遂げようとしていたことと重なるところがあります。『幼年期の終り』は哲学、芸術、科学に加えて宗教まで再統合しようとしたSF小説でした。

『幼年期の終り』のヴィジョンは、クラークが「史上もっとも偉大な科学的予測の試み」と称賛していた科学者J・D・バナールの功績なくしては語れません。バナールは、科学と芸術と宗教の新しい統合を夢見ていました。科学者バナールの理念を、作家としてストーリー仕立てにしたのがクラークなのです。

芸術があらゆる純粋科学に形態を与えるという考えは、必ずしもその代償として現在のあらゆる芸術を放棄することを意味せず、むしろ今日すでにはじまっている芸術の変換を完成させることを意味するであろう。一方では一種の一般化された建築術――巨視的および分子的な建築術――の形で自己を表現する芸術が、科学の応用の無限の可能性に形態を与え、他方では、一般化された文学（generalized poetry）が、宇宙の理解についてのますます広がっていく複合性を表現し、さらにまた、心理学によって曇りを除去された宗教が、

人間を宇宙を通じて、理解と希望をかりたててゆく願望の表現として存続するという道である。

J・D・バナール『宇宙・肉体・悪魔　理性的精神の敵について　新版』鎮目恭夫訳

文学、哲学、科学、宗教、芸術。それらは、方法が違うだけであり、私たちが不変の本質をつかもうとしている人間的活動であることに変わりはありません。それに関しては、バナールに同意します。

しかし、文学に対する見解だけは、私はバナールとは異なる見解を持っています。

私は、バナールが〝曇り〟として取り除こうとしたもの（第7章で取り上げたブッツァーティの「神を見た犬」における集団的倒錯のようなもの）による文学的ヴィジョンのほうが、かえって人間というもののユニークさを捉えることができると考えます。さらに言うと、そういうヴィジョンを欠いた科学的理性では、人間の本質を掴み損ね（そこ）、人間を蔑ろ（ないがし）にする認識が蔓延（はびこ）るのではないかとも思います。

人間の歪みや心の曇り、ズレを凝視し、珠玉のユーモアに変えてしまう作家の力に悪魔的な魅力を感じる。それこそが文学の醍醐味だからです。

純文学が前衛的になりすぎた反動もあってか、いままた中国の作品をはじめとしてSF小説界隈が盛り上がっている。そんなSF作品のどれを読んでも、クラークの足跡を見出すことができる。

クラークは、映画《2001年宇宙の旅》の原作者として広く名が知られていることもあって、偉大な映画監督スタンリー・キューブリックの影に見え隠れするSF作家という印象があるのかもしれない。

しかし、クラークが映画のために書いたシナリオ版の「2001年宇宙の旅」は、キューブリックの独断で改変されたものだ。それは映画としての大成功にはつながったが、クラークが思い描いていたものとは異なるようだ。彼が試写室でひどく落胆したことは、SFファンの間では有名な話である。

しかし、面白いのはここからだ。クラークはよほど悔しかったのか、映画の公開後に『2001年宇宙の旅』を単著のSF小説として出版し、さらには続編『2010年宇宙の旅』『2061年宇宙の旅』『3001年終局への旅』と書き継ぎ、晩年にいたるまで執着し続けた。それらは、キューブリックの映画の世界とはパラレルな作品として、クラーク独自の宗教哲学を展開したものだ。コアなファンは別として、クラークにはキューブリックのイメージが重なっているのか、どこかゴリゴリにハードなSF作家のイメージがあるのかもしれないが、彼が『宇宙の旅』シリーズで伝えたかったことは、〝古典的〟〝純文学的〟とも言える。

シリーズの最終巻『3001年終局への旅』（1997年）でクラークが出した結論は、ずっこけるほど素朴なものだ。主人公フランク・プールのモノローグは、クラークの遺言のようなものではなかろうか。

どのような神的あるいは霊的存在が星のかなたにひそんでいようと、平凡な人間にとって重要なことは二つしかない——〈愛〉と〈死〉だけだ。プールはあらためてそう自分にいいきかせた。

アーサー・C・クラーク『3001年終局への旅』伊藤典夫訳

〈愛〉と〈死〉とは！

そう、文学は、そもそも哲学では描けない愛と死を描く装置なのだ。どれだけ広大な宇宙を舞台にしても、人間が伝えたいことは、結局それなのかもしれない。SFでもシェイクスピアでも、それは同じ。人間は愛と死を動力源にして、同じ場所をぐるぐる回っている。

人間のそんな姿を見ていると、笑えることもあり、面白い。まれに、神にも悪魔にも思いつかないような、とんでもない芸術作品を生み出す人間が現われる。オーケー、認めよう。ついに人間どもが愛おしくなってきた！

参考文献

※原則として初出のみタイトルを挙げています

はじめに

水木しげる『ゲゲゲのゲーテ』双葉社、電子書籍版２０１６年
エッカーマン『ゲーテとの対話　完全版』亀尾英四郎他訳、古典教養文庫、電子書籍版２０１８年

序　章

夏目漱石『こころ』新潮文庫、１９９２年（初版１９５２年）
「鈴木大拙とスウェーデンボルグ」日本スウェーデンボルグ協会公式サイト
https://littlestar-swedenborg 2018.ssl-lolipop.jp/suzukidaisetsu.html（アクセス：２０２０年7月16日）
夏目漱石「夢十夜」オリオンブックス、電子書籍版２０１２年
夏目漱石『思い出す事など　他七篇』岩波文庫、電子書籍版２０１６年
ゲーテ『ファウスト第一部』『ファウスト第二部』相良守峯訳、岩波文庫、電子書籍版２０１８年

第1章

長谷川泰三「芥川龍之介とカフェーパウリスタ」発行・株式会社カフェーパウリスタ（発行年不詳）

芥川龍之介『或阿呆の一生・侏儒の言葉』角川文庫、電子書籍版２０１８年
ショーペンハウエル『自殺について』訳・石井立、角川ソフィア文庫、電子書籍版２０１２年
ショーペンハウアー『幸福について』鈴木芳子訳、光文社古典新訳文庫、電子書籍版２０１８年
ショーペンハウアー『存在と苦悩』金森誠也訳、白水Ｕブックス、２０１０年
大野英士「サロメとスフィンクス」『トーキングヘッズ叢書37特集デカダンス』２００９年
中川右介『昭和45年11月25日 三島由紀夫自決、日本が受けた衝撃』幻冬舎、電子書籍版２０１４年

第２章

池田晶子『14歳からの哲学 考えるための教科書』トランスビュー、２０１９年
バリー・ストラウド『君はいま夢を見ていないとどうして言えるのか 哲学的懐疑論の意義』永井均監訳、春秋社、２００６年
デカルト『方法序説』谷川多佳子訳、岩波文庫、電子書籍版２０１２年
『荘子 全現代語訳』池田知久訳、講談社学術文庫、電子書籍版２０１７年
カンタン・メイヤスー『亡霊のジレンマ 思弁的唯物論の展開』岡嶋隆佑他訳、青土社、２０１８年
カルロ・ロヴェッリ『時間は存在しない』富永星訳、ＮＨＫ出版、２０１９年
プルースト『失われた時を求めて1』高遠弘美訳、光文社古典新訳文庫、電子書籍版２０１０年
鈴木道彦『プルーストを読む』集英社新書、２０１８年

マルセル・プルースト『失われた時を求めて全一冊』角田光代・芳川泰久編訳、新潮社、2015年
アンリ・ベルクソン『物質と記憶』杉山直樹訳、講談社学術文庫、電子書籍版2019年
パウル・ティリッヒ『生きる勇気』大木英夫訳、平凡社、2018年
ホルヘ・ルイス・ボルヘス『七つの夜』野谷文昭訳、岩波文庫、電子書籍版2018年
ホルヘ・ルイス・ボルヘス「円環の廃墟」『伝奇集』鼓直訳、岩波文庫、2019年

第3章

佐藤秀彦他『新蒸気波要点ガイド ヴェイパーウェイヴ・アーカイブス2009―2019』DU BOOKS、2019年
河合隼雄、村上春樹『村上春樹、河合隼雄に会いにいく』新潮社、電子書籍版2016年
村上春樹「偶然の旅人」『東京奇譚集』新潮社、2012年
J＝P・サルトル『嘔吐』鈴木道彦訳、人文書院、2010年
村上春樹「眠り」『TVピープル』文藝春秋、1997年
村上春樹「中国行きのスロウ・ボート」『中国行きのスロウ・ボート』中央公論社、2005年
村上春樹「村上春樹期間限定公式サイト 村上さんのところ」2015年1月〜5月
村上春樹「7番目の男」『レキシントンの幽霊』文藝春秋、1999年
村上春樹『猫を棄てる 父親について語るとき』文藝春秋、2020年

村上春樹「謝肉祭」『一人称単数』文藝春秋、2020年
C・G・ユング『夢分析I』入江良平訳、人文書院、2013年

第4章

芥川龍之介「二つの手紙」青空文庫、1917年
ドストエフスキー『二重人格』小沼文彦訳、岩波文庫、1981年
オスカー・ワイルド『ドリアン・グレイの肖像』仁木めぐみ訳、光文社古典新訳文庫、電子書籍版2006年
エドガー・アラン・ポオ「ウィリアム・ウィルソン」『ポオ小説全集I』中野好夫訳、創元推理文庫、1998年
エドガー・アラン・ポー「赤き死の仮面」『黒猫・アッシャー家の崩壊 ポー短編集Iゴシック編』巽孝之訳、新潮社、電子書籍版2015年

第5章

池上良正『死者の救済史 供養と憑依の宗教学』角川書店、2003年
ウラジミール・ナボコフ『ニコライ・ゴーゴリ』青山太郎訳、平凡社、1996年
ユング『オカルトの心理学 生と死の謎』島津彬郎他訳、サイマル出版会、1989年

カント『視霊者の夢』金森誠也訳、講談社学術文庫、2013年
ゴーゴリ「外套」『鼻／外套／査察官』浦雅春訳、光文社古典新訳文庫、電子書籍版2013年
芥川龍之介「西方の人」『或阿呆の一生・侏儒の言葉』角川文庫、電子書籍版2018年
ヘンリー・ジェームズ『ねじの回転』土屋政雄訳、光文社古典新訳文庫、電子書籍版2013年
デボラ・ブラム『幽霊を捕まえようとした科学者たち』鈴木恵訳、文藝春秋、2010年
ハンス・G・キッペンベルク『宗教史の発見 宗教学と近代』月本昭男他訳、岩波書店、2005年

第6章

ヴィアン『うたかたの日々』野崎歓訳、光文社古典新訳文庫、電子書籍版2013年
サルトル『存在と無3』松浪信三郎、ちくま学芸文庫、2008年
フィリップ・ボッジオ『ボリス・ヴィアン伝』浜本正文訳、国書刊行会、2009年
カミュ『ペスト』宮崎嶺雄訳、新潮文庫、電子書籍版2017年
カミュ『シーシュポスの神話』清水徹訳、新潮文庫、2007年
原野葉子「コレージュ・ド・パタフィジックと韜晦」『広島大学フランス文学研究』27号、2008年
カミュ『異邦人』窪田啓作訳、新潮文庫、2019年

第7章

ブッツァーティ「七階」『神を見た犬』関口英子訳、光文社古典新訳文庫、電子書籍版2013年
ミシェル・フーコー『監獄の誕生 監視と処罰』田村俶訳、新潮社、2018年
曹雪芹『紅楼夢 上』富士正晴・武部利男訳、グーテンベルク21、電子書籍版2011年
ジン・ワン『石の物語 中国の石伝説と『紅楼夢』『水滸伝』『西遊記』を読む』廣瀬玲子訳、法政大学出版局、2015年
カフカ『変身』高橋義孝訳、新潮文庫、2014年
Th・W・アドルノ『不協和音 管理社会における音楽』三光長治・高辻知義訳、平凡社、2019年
ブッツァーティ「神を見た犬」上掲
サミュエル・ベケット『ゴドーを待ちながら』安藤信也他訳、白水社、2009年

第8章

ベン・H・ウィンタース『地上最後の刑事』上野元美訳、早川書房、電子書籍版2014年
藤子・F・不二雄「地球最後の日」『藤子・F・不二雄大全集 モジャ公』小学館、2017年
ベルクソン『道徳と宗教の二つの源泉I』森口美都男訳、中公クラシックス、電子書籍版2013年
小林秀雄「モオツァルト」『モオツァルト・無常という事』新潮文庫、電子書籍版2013年
ロマン・ロラン『ベートーヴェンの生涯』片山敏彦訳、岩波文庫、1965年
ベルクソン『笑い』増田靖彦訳、光文社古典新訳文庫、2016年

リチャード・マシスン『アイ・アム・レジェンド』尾之上浩司訳、早川書房、2007年
デイヴィッド・マークソン『ウィトゲンシュタインの愛人』木原善彦訳、国書刊行会、2020年

終　章

内村鑑三『ヨブ記講演』岩波文庫、電子書籍版2018年
『聖書　共同新訳 旧約聖書続編つき』共同訳聖書実行委員会、1987年
J・B・ラッセル『悪魔 古代から原始キリスト教まで』野村美紀子訳、教文館、1989年
キルケゴール『反復』桝田啓三郎訳、岩波文庫、2020年
アーサー・C・クラーク『幼年期の終り』福島正実訳、早川書房、電子書籍版2012年
ジョン・キーツ『詩人の手紙』田村英之助、冨山房百科文庫、2004年
山口裕之『語源から哲学がわかる事典』日本実業出版社、2019年
『追悼　水木しげる　ゲゲゲの人生展 図録』朝日新聞社、2017年
手塚治虫『ばるぼら（上）（下）』角川文庫、1999年、1998年
溝井裕一『ファウスト伝説 悪魔と魔法の西洋文化史』文理閣、2009年
J・D・バナール『宇宙・肉体・悪魔　新版　理性的精神の敵について』鎮目恭夫訳、みすず書房、2020年
アーサー・C・クラーク『3001年終局への旅』伊藤典夫訳、早川書房、電子書籍版2013年

ジェームズ, ヘンリー(1843〜1916) …… 147
シャルダン, ピエール・テイヤール・ド(1881〜1955) …… 214
ショーペンハウアー, アルトゥル(1788〜1860) …… 45, 50, 74, 267
スウェーデンボルグ, エマヌエル(1688〜1772) …… 16, 142, 150

タ行

ティリッヒ, パウル(1886〜1965) …… 73
ドストエフスキー, フョードル(1821〜1881) …… 26, 31, 111, 133, 173, 236, 251

ナ行

ナボコフ, ウラジミール(1899〜1977) …… 138

ハ行

ヒューム, デイヴィッド(1711〜1776) …… 75
フーコー, ミシェル(1926〜1984) …… 182, 188, 200, 213
ブッツァーティ, ディーノ(1906〜1972) …… 176, 201, 272
ブーバー, マルティン(1878〜1965) …… 128
プルースト, マルセル(1871〜1922) …… 67
ベルクソン, アンリ(1859〜1941) …… 26, 71, 214, 227, 261
ポー, エドガー・アラン(1809〜1849) …… 115, 124, 215
ポパー, カール(1902〜1994) …… 62
ボルヘス, ホルヘ・ルイス(1899〜1986) …… 74

マ行

マークソン, デイヴィッド(1927〜2010) …… 233
マン, トーマス(1875〜1955) …… 269
ミルトン, ジョン(1608〜1674) …… 28, 36
メイヤスー, カンタン(1967〜) …… 62

ヤ行

ユング, カール・グスタフ(1875〜1961) …… 83, 95, 97, 99, 107, 119, 128, 139

ラ行

ロヴェッリ, カルロ(1956〜) …… 65, 71

ワ行

ワイルド, オスカー(1854〜1900) …… 114, 115

国内

あ行

芥川龍之介(1892～1927)……40, 105, 145, 198
池田晶子(1960～2007)……56
内村鑑三(1861～1930)……240

さ行

浄蔵貴所(じょうぞう・きしょ、891～964)……120
鈴木大拙(1870～1966年)……17

た行

手塚治虫(1928～1989)…35, 240, 269

な行

夏目漱石(1867～1916)……14, 25, 40, 74, 89

ま行

三島由紀夫(1925～1970)……50, 240
水木しげる(1922～2015)……2, 48, 266
村上春樹(1949～)……80, 95

海外

ア行

ヴィアン, ボリス(1920～1959)…154
ウィンタース, ベン・H(1976～)……214
エッカーマン, ヨハン・ペーター(1792～1854)……2, 267

カ行

カフカ, フランツ(1883～1924)……191, 228, 252
カミュ, アルベール(1913～1960)……124, 154, 164, 170, 252
カント, イマヌエル(1724～1804)……142
キルケゴール, セーレン(1813～1855)……22, 219, 230, 236, 248
クラーク, アーサー・C(1917～2008)……240, 253, 271
ゲーテ, ヨハン・ヴォルフガング・フォン(1749～1832)……2, 34, 48, 97, 206, 241, 248, 264
ゴーゴリ, ニコライ(1809～1852)……132, 226

サ行

サルトル, ジャン＝ポール(1905～1980)……83, 85, 94, 154
シェイクスピア, ウィリアム(1564～1616)……3, 74, 222, 236, 241, 269
ジェームズ, ウィリアム(1842～1910)……150

初出一覧

本書は２０１９年10月から２０２０年7月にかけて、日本実業出版社が運営するnoteに〈死の文学入門～『「死」の哲学入門』スピンアウト〉として連載した文章をもとに大幅加筆し、コラム等を新たに書き下ろしたものです。

序　章　2019/10/08掲載
第1章　2019/10/23掲載
第2章　2019/12/03掲載
第3章　2019/12/20掲載
第4章　2020/01/31掲載
第5章　2020/03/25掲載
第6章　2020/04/22掲載
第7章　2020/05/19掲載
第8章　2020/06/03掲載
終　章　2020/07/08掲載

内藤理恵子（ないとう　りえこ）
1979年、愛知県生まれ。南山大学文学部哲学科卒、南山大学大学院人間文化研究科博士後期課程修了。博士(宗教思想)。
現在、南山大学宗教文化研究所非常勤研究員。
著書:『あなたの葬送は誰がしてくれるのか　激変する供養のカタチ』(興山舎)、『誰も教えてくれなかった「死」の哲学入門』(日本実業出版社)など

正しい答えのない世界を生きるための
「死」の文学入門

2020年12月1日　初版発行

著　者　内藤理恵子 ©R.Naito 2020
発行者　杉本淳一

発行所　株式会社日本実業出版社　東京都新宿区市谷本村町3-29 〒162-0845
大阪市北区西天満6-8-1 〒530-0047
編集部　☎03-3268-5651
営業部　☎03-3268-5161　振　替　00170-1-25349
https://www.njg.co.jp/

印刷／理想社　製本／共栄社

ISBN 978-4-534-05819-5 Printed in JAPAN